FRETBOARD ROADMAPS BLUEGRASS AND FOLK GUITAR

THE ESSENTIAL GUITAR PATTERNS THAT ALL THE PROS KNOW AND USE

BY FRED SOKOLOW

ブルーグラス＆フォーク・ギターを弾こう

Managing Editor: Michael Sweeney.

Printed in Japan

ATN, inc.

もくじ

はじめに

優れたブルーグラスやフォーク·ギタリストたちは、すべてのキーで、またフレット·ボード全体を使って、ホットなソロをアドリブし、バッキングをプレイできます。彼らはいくつかの異なるソロのアプローチ（方法）を知っており、ブルース·フレーヴァーのカントリー·チューンでも、激しくドライヴするブルーグラスでも、またはポップなコード進行のきれいなバラードでも、その曲にフィットするスタイルを選ぶことができるのです。

ギターのフレットボード上で移動可能なパターンを利用すると、これらのことを簡単に行えるようになります。プロのギタリストたちは、たとえ楽譜が読めなくても、これらの**フレットボード·ロードマップ**（Fretboard Roadmap）に精通しています。これは、あなたが他のプレイヤーとジャムをするために、**欠くことのできないギターの知識**なのです。

もしあなたが、次のような問題を抱えているのであれば、フレットボード·ロードマップが役に立つでしょう。

- すべてのソロが同じサウンドになってしまうので、異なるスタイルやフレーヴァー（味わい）を選択できる幅を広げたい。
- すべてのキーでプレイする方法を知らない。
- 第5フレットより上のフレットボードは、ミステリアスで、未知の領域である。
- 思いついた、またはハミングできるリックをすぐにプレイできない。
- たくさんの断片的なフレーズ、パターンなどをギター上で知っていても、それらを体系的に結びつけて、1つにすることができない。

本書を進めていくにしたがって、多くの謎が解明されていくはずです。あなたがブルーグラスやフォーク·ギターを演奏することについて真剣に考えているのなら、本書は、解明の光を投げかけ、あなたは膨大な時間を節約できることでしょう。

Good Luck !

Fred Sokolow

フレットボード·ロードマップ·シリーズには、本書**ブルーグラス＆フォーク·ギターを弾こう**の他に、**ロック·ギターを弾こう、ブルース·ギターを弾こう、スライド·ギターを弾こう、カントリー·ギターを弾こう**が出版されています。いろいろなスタイルのギター·テクニックを身につけたいと思ったら、ぜひトライしてみましょう。

CDと練習トラック

本書のすべてのリック、リフ、練習曲は、付属のCDに収録されています。菱形（◆1）の中の数字は、付属CDのトラック·ナンバーです。

CDには4つの**練習トラック**も収録されています（p.50参照）。各トラックは、一般的なカントリーのグルーヴとコード進行で組み立てられています。ステレオの一方のスピーカーからはリード·ギターが、もう一方からはバック·バンドの演奏が聴けるように録音されているので、マイナス·ワンとして、あなたのギターをフィーチャーした演奏が楽しめます。

各トラックでは、それぞれ第1ポジションのブルース·スケール、移動可能なコードに基づくリックなど、特定のテクニックを説明しています。

また、リード·ギター·トラックの音を消して、バック·バンドのトラックに合わせてソロの練習をすることもできます。

コード・ダイアグラムの読み方

コード・ダイアグラムは、ギターのフレットボードを格子状の図にして、コードの押さえ方やスケール・ノートの位置を分かりやすく示したものです。黒丸(●)は、押さえるフレット上のポジションと弦を表しています。

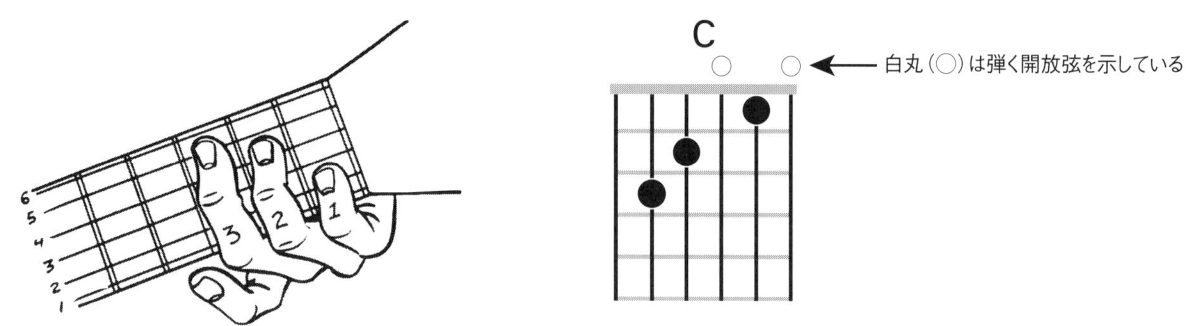

ダイアグラムの数字はフィンガリングを、ダイアグラムの右側の数字は**フレット番号**をそれぞれ示しています。

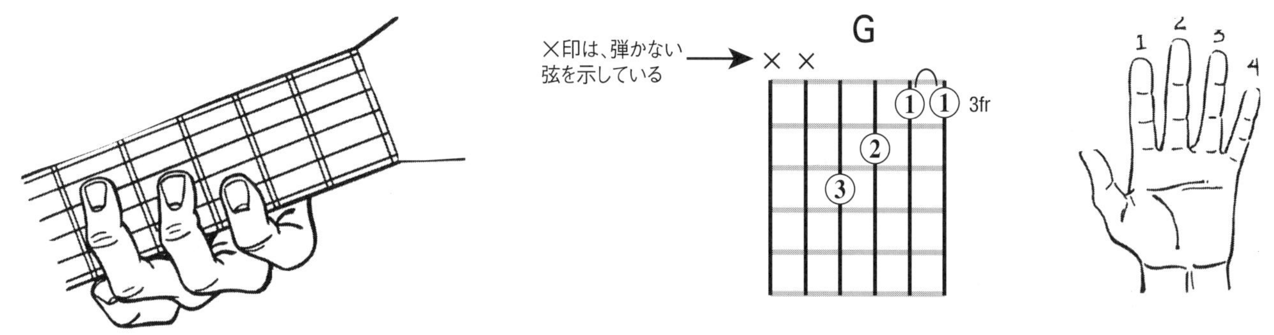

フレットボード・ダイアグラムの読み方

フレットボード・ダイアグラムは、あなたが演奏している時に見えるギターのフレットボードを、図式化したものです。

- 最も太い6弦が一番下のラインで、一番上の最も細いラインが1弦です。
- 5fr，7fr，10frなど、目安となる**フレット番号**が6弦の下側に記されています。
- フレットボード上の**黒丸**(●)は、コード・ダイアグラムと同様に、**押さえるポジション**を示しています。
- フレットボード上の**数字**は、**左手のフィンガリング**を示しています(**1**＝人差し指、**2**＝中指、**3**＝薬指、**4**＝小指)。
- フレットボード上のA，B，C♯などの**文字**は、**音名**を表しています。
- **I**，**IV**，**V**などの**ローマ数字**は、フレットボード上のコードの**ルート**(根音)を示しています。

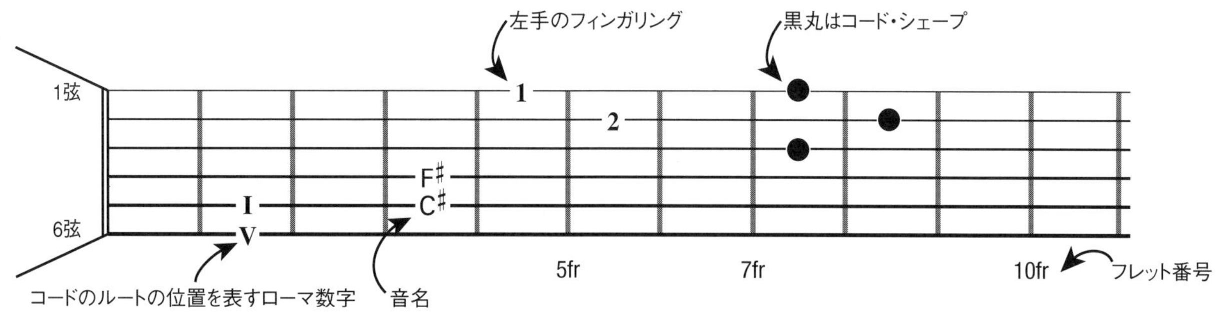

フレットボード上の音
覚えるコツ

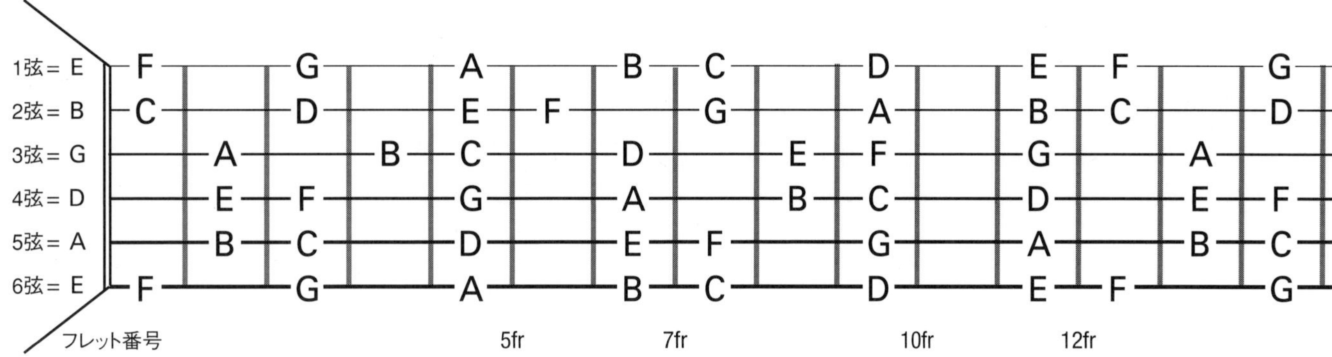

なぜ？

- どこに何の音があるかを知ること（特に６、５弦の音）は、フレットボード上でコードやスケールを見つけるのに役立ちます。そしてコードを変化させたり、理解することにも役立ちます（*例えば、このコードの7thをフラットさせるにはどうすればよいのか？ このコードは、どうしてメジャーではなくマイナーなのか？ というような場合*）。また、これは読譜のための第一歩でもあります。

どんなもの？

- **フレットボード上に示されているアルファベットは、フレットボードを上に行くにしたがって、ピッチ（音高）が高くなります。**
- **全音と半音**：全音は２フレット分、半音は１フレット分に相当します。
- **シャープ（♯）のついた音は１フレット分高くする**：６弦の第３フレットはG音なので、６弦の第４フレットはG♯音になります。また、６弦の第８フレットはC音なので、６弦の第９フレットはC♯音になります。
- **フラット（♭）のついた音は１フレット分低くする**：６弦の第５フレットはA音なので、６弦の第４フレットはA♭音になります。また、６弦の第10フレットはD音なので、６弦の第９フレットはD♭音になります。

どのように？

- **フレットボードのポジション・マークが役立ちます**。ほとんどのギターのフレットボードには、第５、第７、第10、第12フレットめに、目印となるポジション・マークがついています。

やってみよう！

- **５弦と６弦上の音を覚えることから始めましょう**。これらの音は、ROADMAP 4（p.14）で必要になります。

まとめ　ここで学んだこと…

- フレットボード上の音の位置
- **音楽用語の意味**：全音、半音、シャープ、フラット

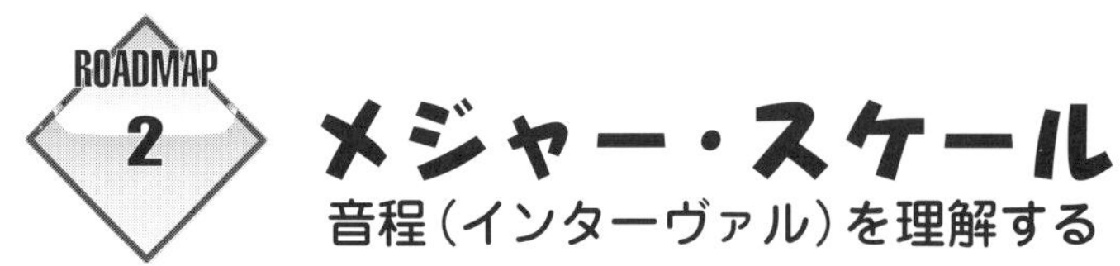

メジャー・スケール
音程(インターヴァル)を理解する

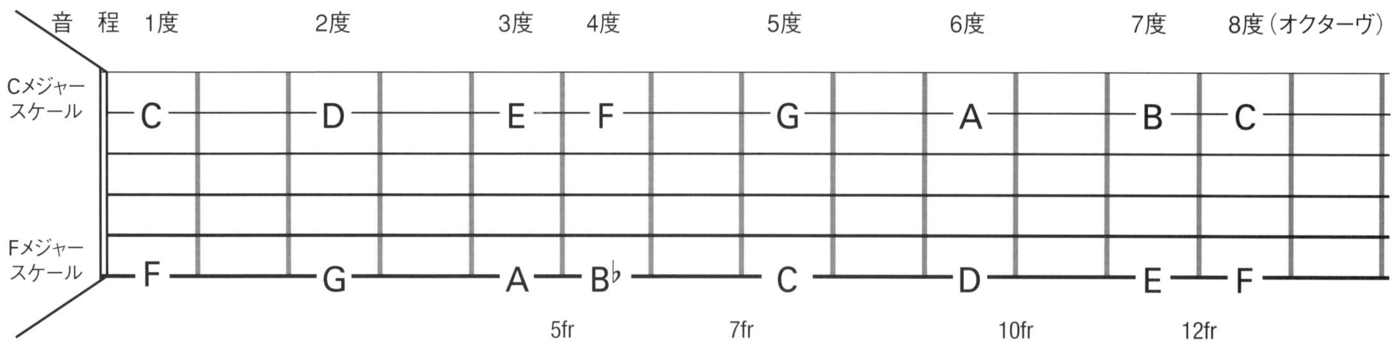

なぜ?

- 音楽を理解し、他のプレイヤーたちと演奏するために、まずメジャー・スケールを知る必要があります。メジャー・スケールは、音と音の間や、コードとコードの間の距離を計る基準となります。そして、メジャー・スケールを知ることは、コードの組み立てや、スケールとコードの関係を理解する上で役に立ちます。

どんなもの?

- **メジャー・スケール**とは、今までのあなたの生活の中でいつも耳にしている、**ド-レ-ミ音階**のことです。よく知られた数え切れないほどたくさんの曲が、このスケールで創られています。
- *__音程__とは、2つの音の高さの距離です。メジャー・スケールの音程は、これらの距離を表すために使われます。例えば、E音はCメジャー・スケールの第3番め(3rd)の音で、その音は、C音から4フレット分上に位置しています(上の図を参照)。この距離を**3度**と呼びます。同様に、A音はF音の3度上にあり、A音の3度上はC♯音になります。ギターでは、3度の音程はいつも4フレット分の距離になります。

どのように?

- **すべてのメジャー・スケールは、同じ全音と半音の音程パターン**(全-全-半-全-全-全-半)で組み立てられています。

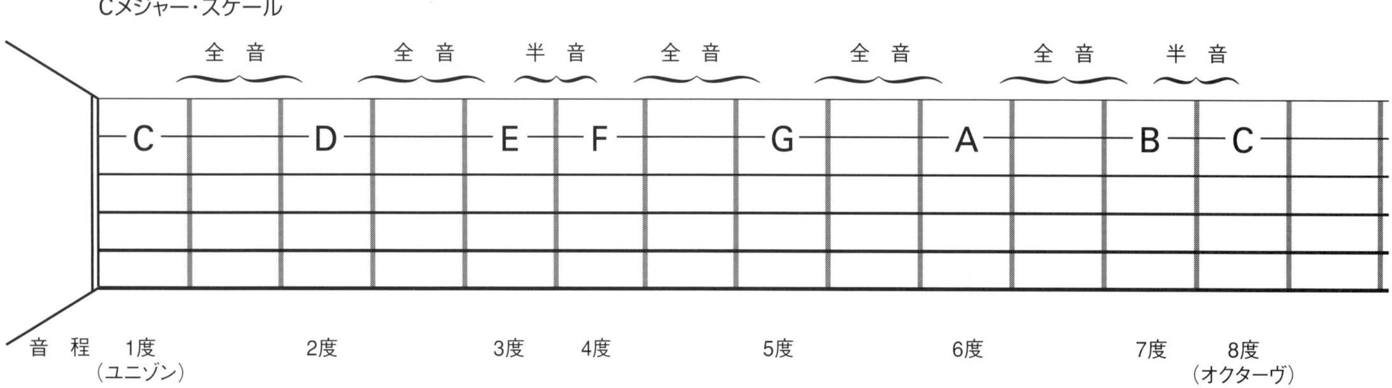

* interval:音と音の距離(隔たり)を表す。多くの人が、音程と音の高さを表す音高(pitch)を混同して使っているように見受けられるが、2つともとても重要な意味の音楽用語なので、正確に使い分けられるように理解しておくこと。

- 別の言い方をすると、メジャー･スケールは、3rdから4thの音（E音からF音）と、7thから8thの音（B音からC音）の間の半音の２つの例外を除いて、全音（２フレット分）で上行します。３度の音程は４フレット分、というように、音程をフレットで考えると理解しやすいでしょう。

- **すべての音程はフレットに換算して表すことができます**。例えば、長３度（メジャー3rd）の音は４フレット分です。9th，11th，13thなどの音は、１オクターヴを越える音程です。

Cメジャー・スケール

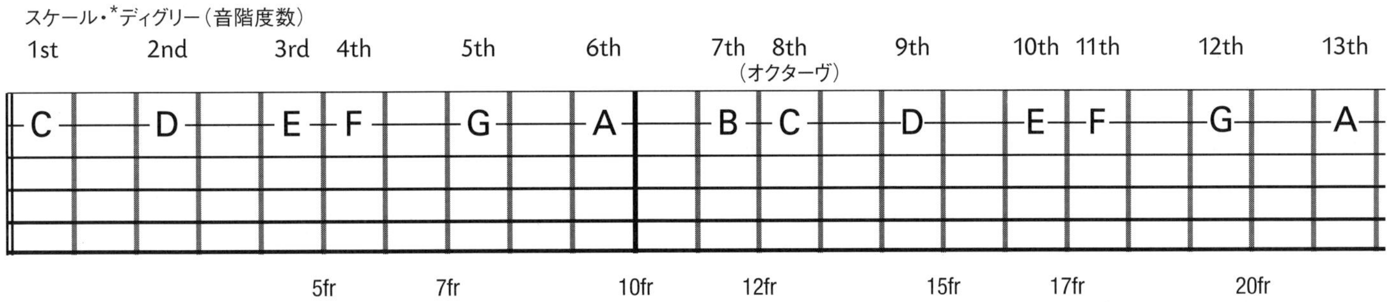

スケール・*ディグリー（音階度数）

1st	2nd	3rd	4th	5th	6th	7th	8th（オクターヴ）	9th	10th	11th	12th	13th
C	D	E	F	G	A	B	C	D	E	F	G	A

5fr 7fr 10fr 12fr 15fr 17fr 20fr

やってみよう！

- 練習を始める前に、CDの❶でチューニングをしましょう。
- **ある１つの音を弾き、その３度上、４度上、５度上などの音を見つけてメジャー・スケールの音程を覚えましょう**。これは、１本の弦上でフレットを数えながら上がっていくと見つけられます。

まとめ　ここで学んだこと…

- **メジャー･スケールの音程**
- **各音程を作るフレットの数**

* degree：度。音程を示す単位。その間隔が広がる順に2度、3度と呼ばれる。英語の表示は、1st，2nd，3rdが使われ、これを度数という。本書では、音程（２音間の隔たり）を示す時は、２度、３度と表し、スケール･ノート（音階音）やコード･トーン（コードの構成音）には、1st，2nd... 9th，13thで表示している。尚、ローマ数字を使用した表示（**I**，**II**，**III**，**IV**，**V**，**VI**，**VII**）も度数を示しているが、これは2音間の音程を表すものではなく、スケール上に構成されるコードを表示するものとして使用される。本書では、フィンガーボード上に表示されているローマ数字（**I**，**IV**，**V**）は、そのコードのルートのポジションに表示されている。

第1ポジションのメジャー・スケール

ブルー・ノートを加えてメロディーやリックをプレイする

Cメジャー・スケール

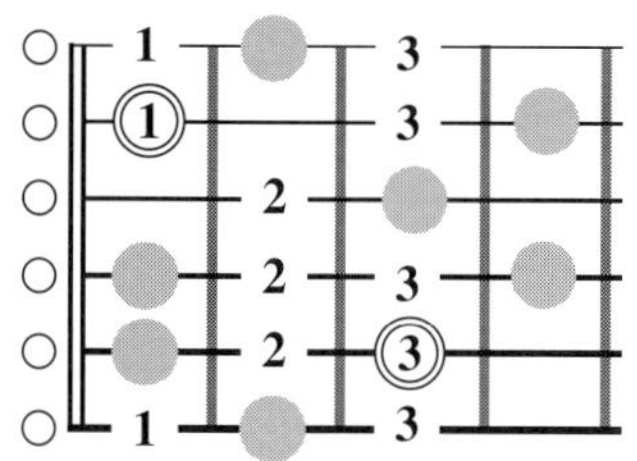

Gメジャー・スケール

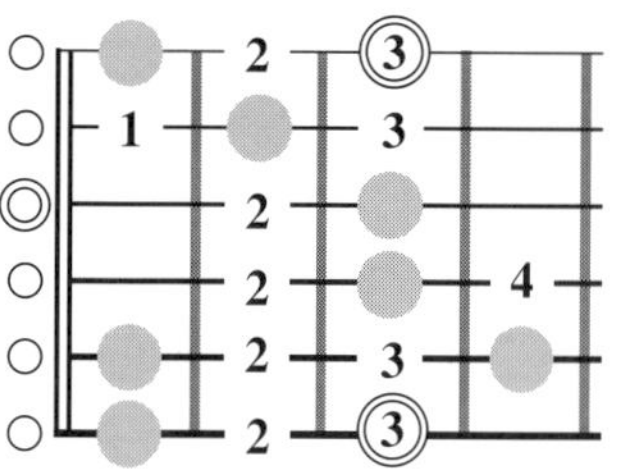

Dメジャー・スケール

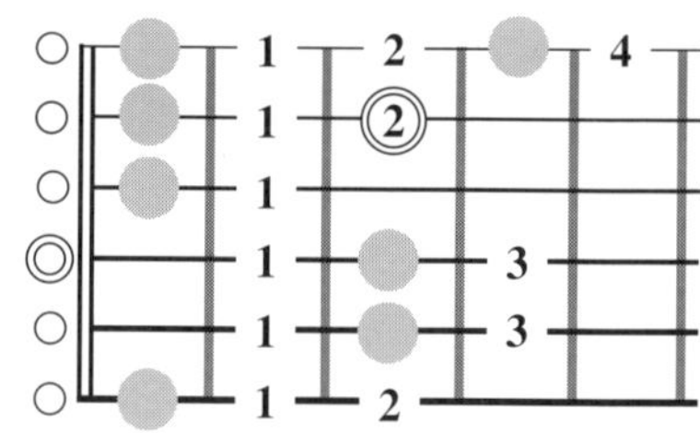

Aメジャー・スケール

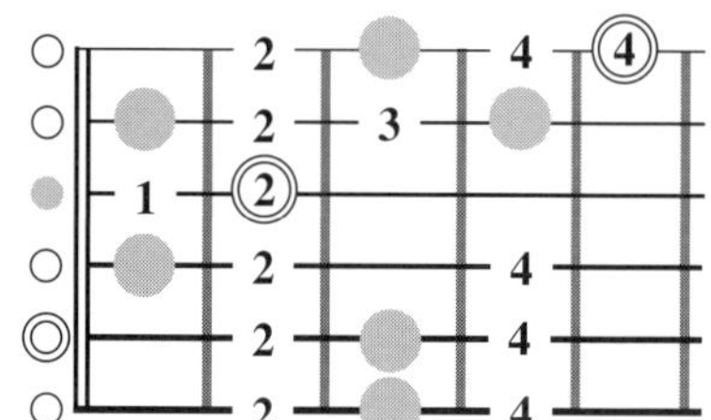

Eメジャー・スケール

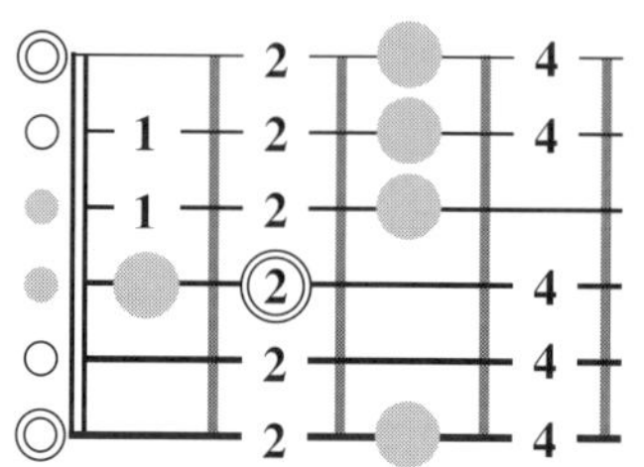

○ = 開放弦も弾く

● = ブルー・ノート

なぜ?

- ブルーグラスやフォーク・ギタリストたちは、ホットなフィドルの曲をプレイする時でも、バラードのメロディーをピッキングしたり、ソロをインプロヴァイズする時でも、第1ポジションのメジャー・スケールをよく使います。これらのスケールに慣れることは、このような演奏すべてにおいて役立ちます。

どんなもの?

- **すべてのキーには、それぞれのメジャー・スケールと特徴的なリックがあります。**キーCではCメジャー・スケールだけを使い、キーEではEメジャー・スケールだけを使います。
- **各スケールとそれに伴うリックは、曲のコード・チェンジにかかわらず、1曲をとおして使います。**
- **上のフレットボード・ダイアグラムでは、スケールのルート音は、二重丸(◎)で囲まれています。**ルートは、そのスケールの名前になる音です。
- **各スケールの中のグレーの丸(●)は、♭3rd、♭5th、♭7thです。**これらの音は、ブルー・ノートと呼ばれ、スケールにブルージーなフレーヴァーを加えます。
- **数字は、左手のフィンガリングです。1**は人差し指、**2**は中指、**3**は薬指、**4**は小指です。

どのように?

- **コードのフォームを意識しながら、各スケールをプレイしましょう。**例えば、Eメジャー・スケールをプレイする場合、まず第1ポジションのEコードのフォームを押さえてみます。スケールをプレイする間は、コードを押さえる必要はありませんが、正しい音を探す参考になります。
- **次の各スケールを、上下行して、慣れるまでくり返しましょう。**くり返す時は、間をあけずに数回プレイします。次ページの5つのスケールを練習しましょう。

2

CDのナレーション：*書かれている5つのメジャー・スケールをプレイするにあたり、それぞれを何回もリピートすると、よい練習になります。例えば、これはCメジャー・スケールです。*

Cメジャー・スケール

CDのナレーション：*自然に弾けるようになるまで、何回もリピートします。他の4つでも同じことをします。各メジャー・スケールの音に慣れるまで、何回もリピートします。*

Gメジャー・スケール

Dメジャー・スケール

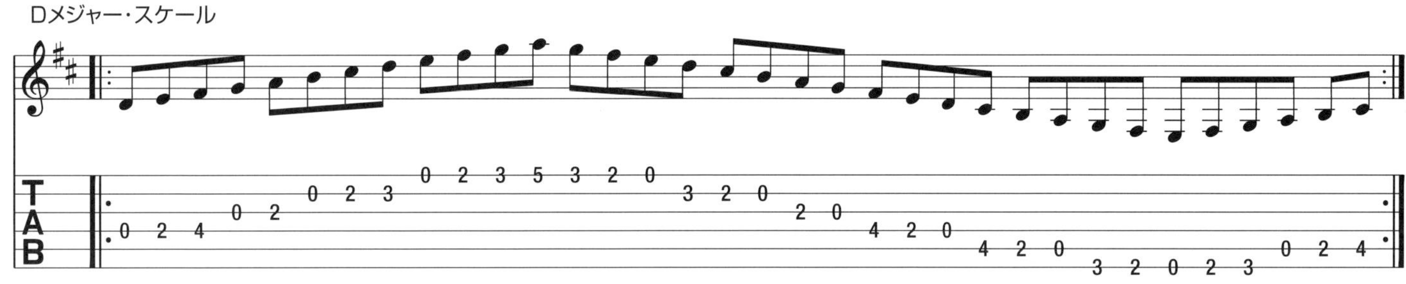

Aメジャー・スケール

Eメジャー・スケール

やってみよう！

- 次のソロでは、いくつかの古典的リックをプレイすることで、5つすべてのメジャー･スケールの使い方を示しています。これらは*Merle Travis*の演奏で知られるブルーグラスのスタンダード曲、Nine Pound Hammerに基づくインプロヴィゼイションです。

3

4 Nine Pound Hammer - G Major Scale

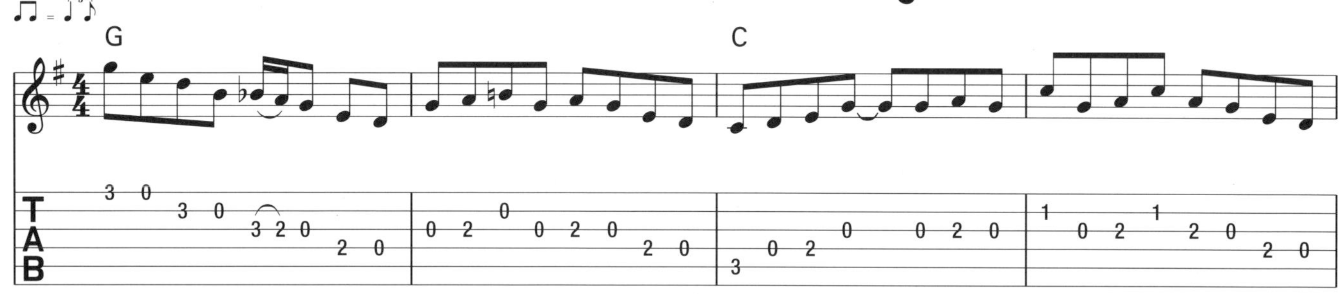

5 Nine Pound Hammer - D Major Scale

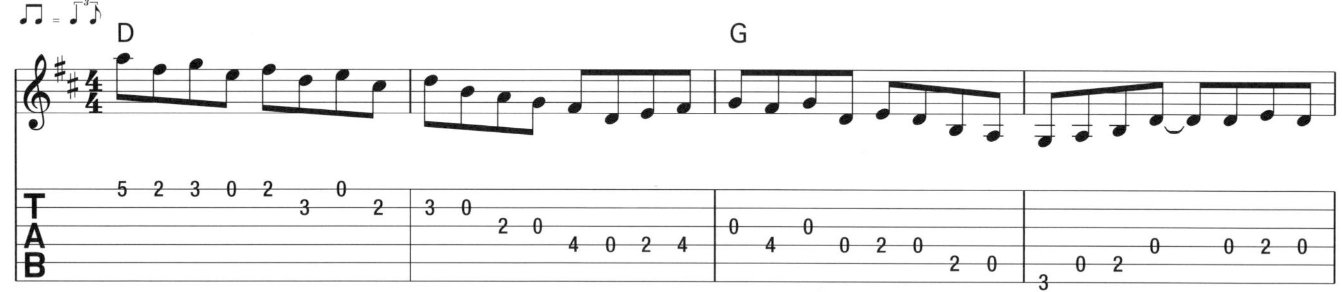

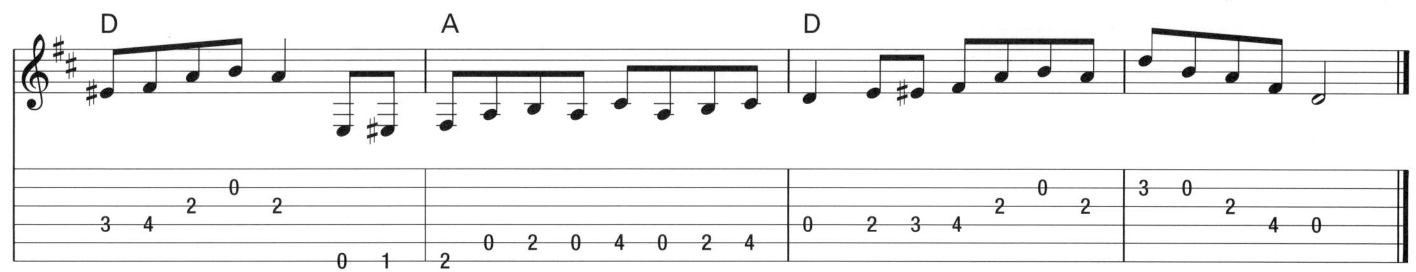

❻ Nine Pound Hammer - A Major Scale

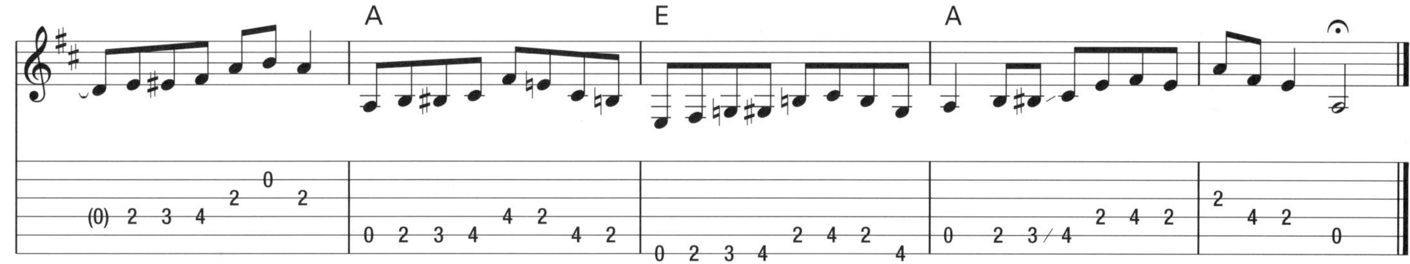

❼ Nine Pound Hammer - E Major Scale

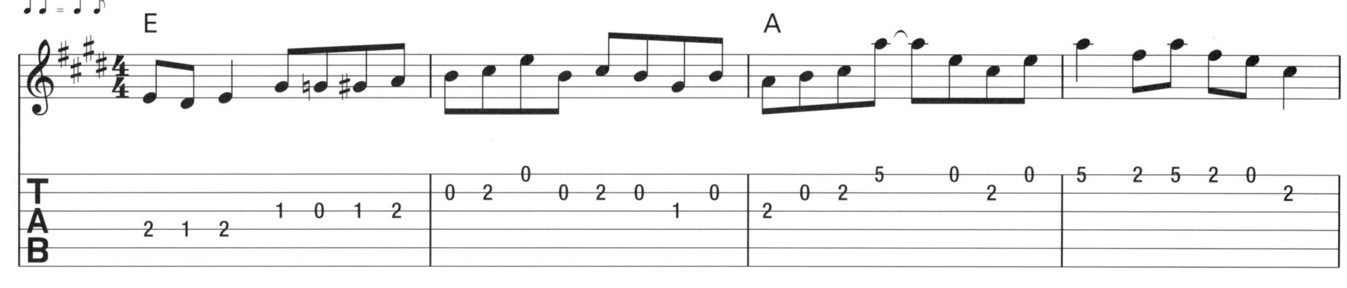

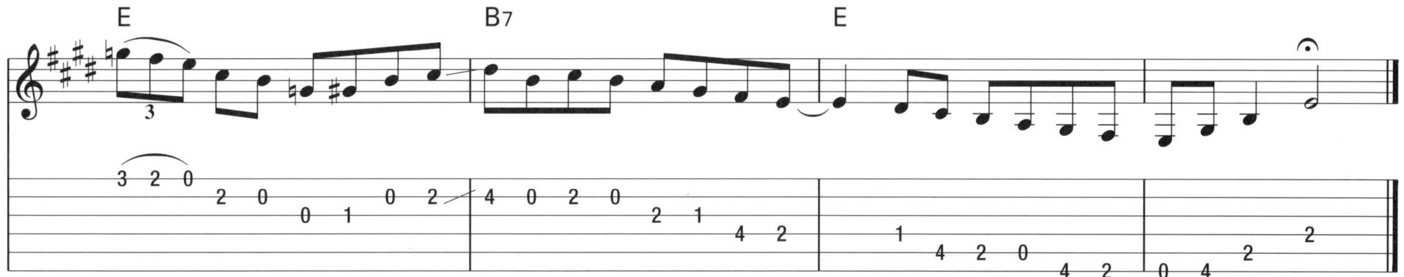

まとめ　ここで学んだこと…

- 5つの第1ポジション・メジャー・スケール（C，G，D，A，E）をプレイする方法と、リックとソロをプレイするためにそれらを使う方法
- 音楽用語の意味：ブルー・ノート
- メジャー・スケールとリックにブルー・ノートを加える方法

2つの移動可能なメジャー・コードのヴァリエーション

コードを学ぶ近道

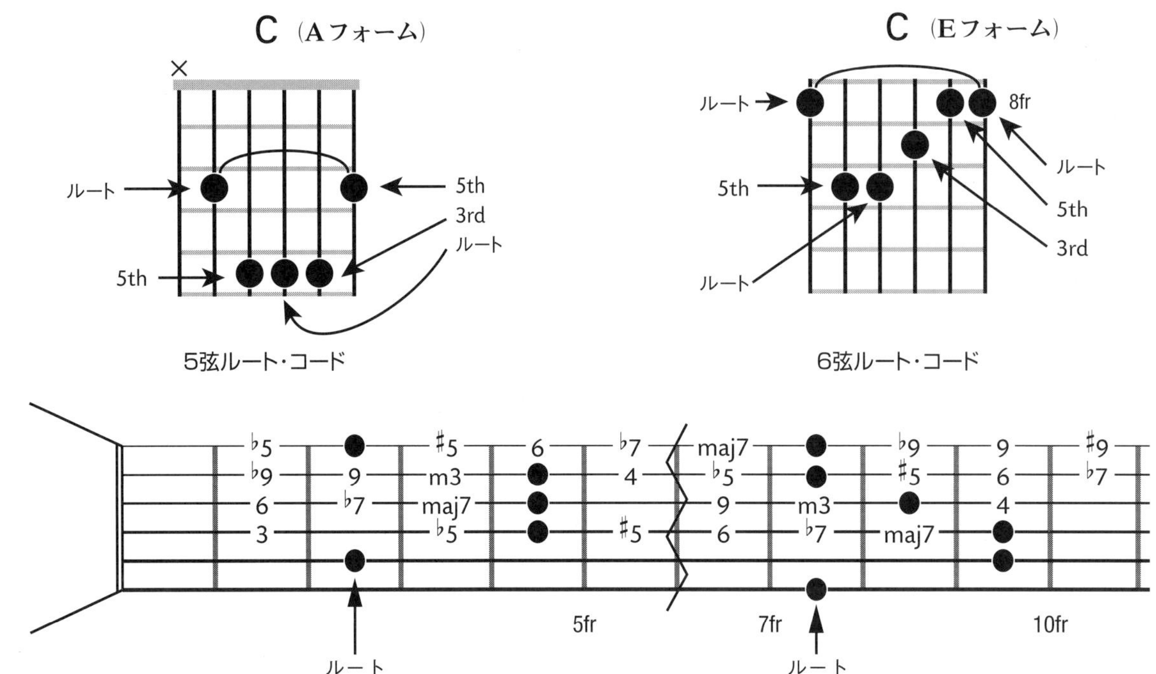

なぜ？

- **ROADMAP 4**は、十分なコード・ヴォキャブラリーを築くのに役立つことでしょう。バレー・コードをはじめ、その形を保ったまま移動可能なコードを使うことで、今後必要とするコードの大部分をプレイすることができるでしょう。

どんなもの？

- **コード**とは、同時にプレイされる３つか４つの音のグループです。
- **移動可能なコードはフレット・ボード全体でプレイすることができます**。このコードは開放弦を含んでいません。
- **ルート**は、コードの名前に使われる音です。
- **２つの移動可能なメジャー・コード(そしてすべてのメジャー・コード)は、ルート、3rd、5thから組み立てられています**。まず、この２種類のコード・フォーム(AフォームとEフォーム)の構成音の並びを確認しましょう。上記の**ROADMAP 4**のコード・ダイアグラムは、その音程関係を表しています(例えば、バレーEタイプの５弦と２弦は5thの音)。
- **ROADMAP 4**の２つのベーシックな移動可能なメジャー・コードを少し変えるだけで、9thコード、マイナー7thコードなど、12個のカッコいいブルース・コードをプレイできるようになります。例えば、１本の弦の１つの音(3rd)を１フレット下げる(♭3rd)だけで、メジャー・コードをマイナー・コードにすることができます。これがコードのヴォキャブラリーを広げる簡単な方法のひとつです。

どのように？

- **6弦のルート音でEフォームのポジションが決まります。**例えば、6弦第3フレットにG音があるので、Gのバレー・コードは第3フレットになります。同様に、第6フレットではB♭コードになります。

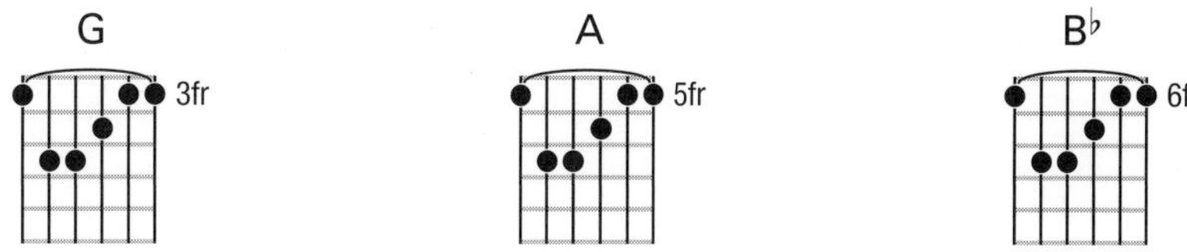

- **5弦のルート音でAフォームのポジションが決まります。**例えば、5弦第3フレットにC音があるので、Cのバレー・コードは第3フレットになります。同様に、第9フレットではG♭(F♯)コードになります。

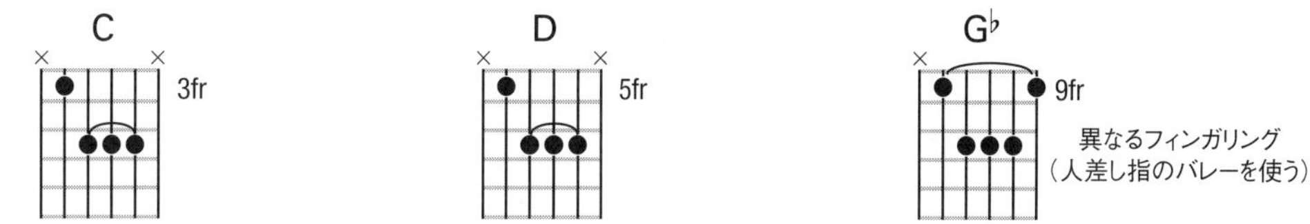

- **ここでは4つのタイプのコードを学びます。**
  - **メジャー・コード→** ルート(1st)、3rd、5thの音で組み立てられています。
  - **マイナー・コード→** ルート、♭3rd、5thの音で組み立てられています。
  - **ドミナント7thコード→** ルート、3rd、5th、♭7thの音で組み立てられています。
  - **ディミニッシュ7thコード→** ルート、♭3rd、♭5th、♭♭7th(これは6thと同じ)の音で組み立てられています。

- **その他のコードは、これら4つのタイプのヴァリエーションです。**
  - C6コードは、Cメジャー・コードに6thを加えたものです(1, 3, 5, 6)。
  - Gm7(♭5)(Gマイナー7th・フラット5th)は、Gmコードに♭7thを加え、5thを♭5thにしたものです(1, ♭3, ♭5, ♭7)。
  - D7(♭9/♯5)(D7th・シャープ5th・フラット9th)は、D7コードに、5thを♯5thにして、♭9thを加えたものです(1, 3, ♯5, ♭7, ♭9)。

やってみよう！

- **6弦ルート・コードをフレットボード全体でプレイします。**そしてプレイする時に、そのコード・シンボル(コード・ネーム)を確認します。
- **5弦ルート・コードをフレットボード全体でプレイします。**そしてプレイする時に、そのコード・シンボルを確認します。
- **すべての新しく学ぶコードを、すでに知っているベーシック・コードと比較します。**次ページの小さいコード・ダイアグラムは、ベーシック・コードのヴァリエーションです。
- **次ページのコードは最もよく使われるコードです。**これらをプレイし、その基となっている、左の大きいコード・ダイアグラムと比較してみましょう。

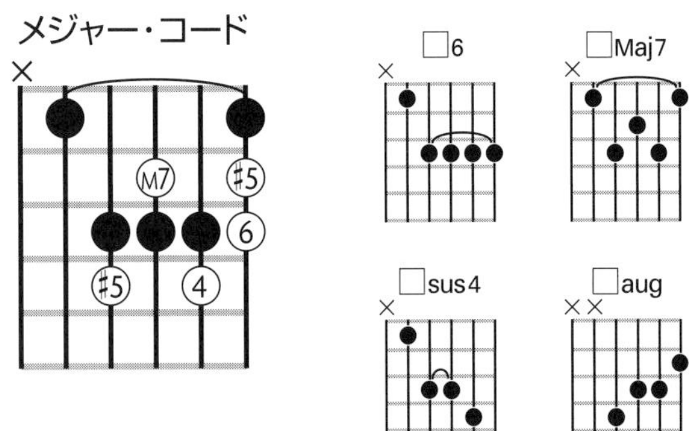
メジャー・コード
M7
♯5
6
♯5
4
□6
□Maj7
□sus4
□aug

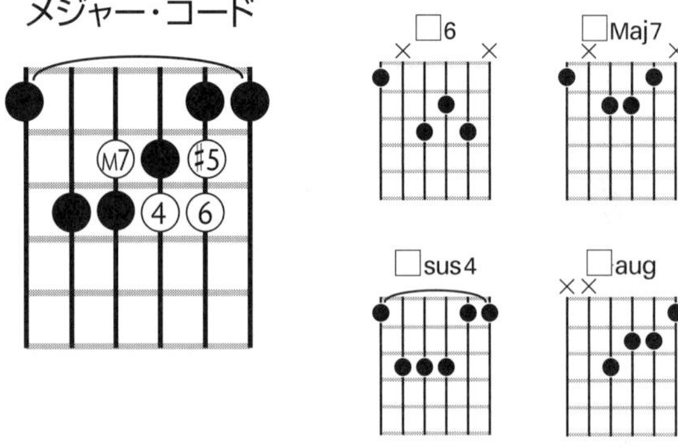
メジャー・コード
M7
♯5
4
6
□6
□Maj7
□sus4
□aug

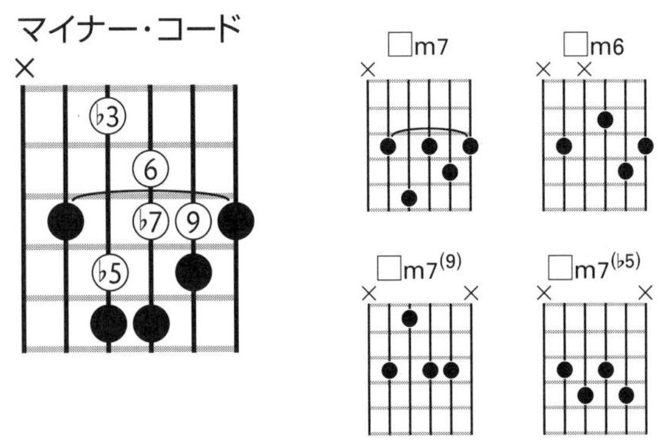
マイナー・コード
♭3
6
♭7
9
♭5
□m7
□m6
□m7(9)
□m7(♭5)

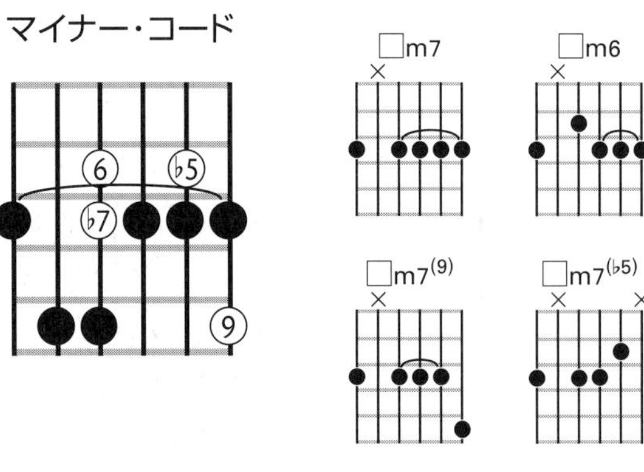
マイナー・コード
6
♭5
♭7
9
□m7
□m6
□m7(9)
□m7(♭5)

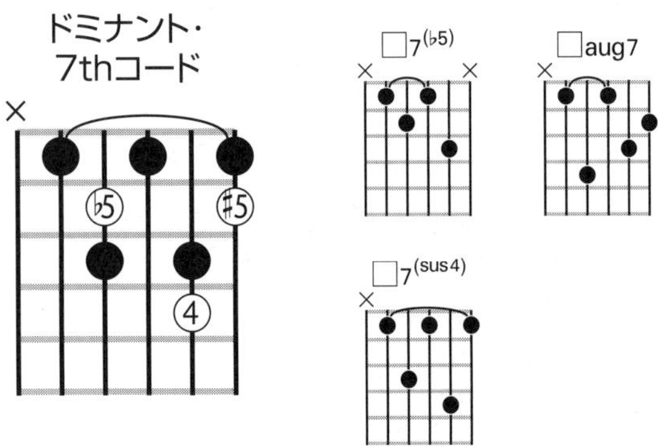
ドミナント・
7thコード
♭5
♯5
4
□7(♭5)
□aug7
□7(sus4)

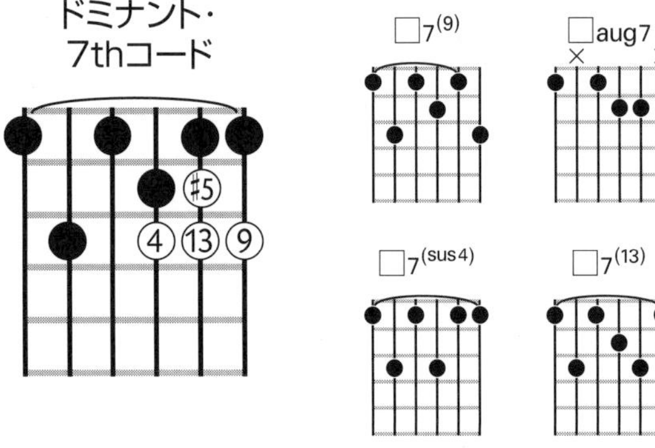
ドミナント・
7thコード
♯5
4
13
9
□7(9)
□aug7
□7(sus4)
□7(13)

- これも5弦ルートのドミナント7thコードのシェープです。

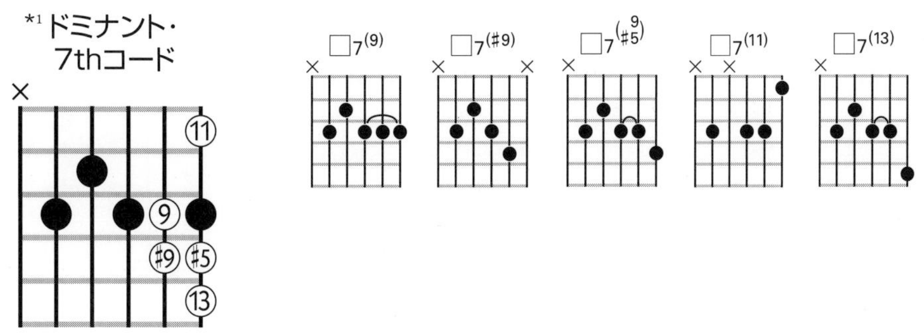

- ディミニッシュ7thコードは、♭3rd、♭5th、𝄫7thの入った7thコードです。*2

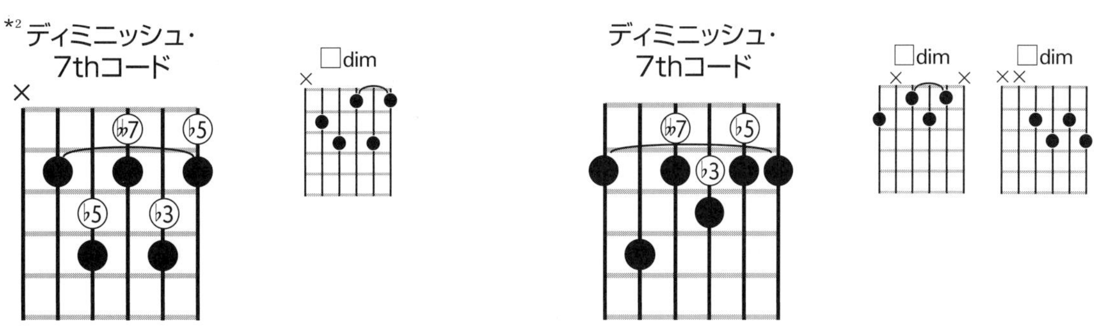

まとめ　ここで学んだこと…

- **あらゆるメジャー・コードを2つのフォームでプレイする方法：**移動可能な6弦ルート・コードと移動可能な5弦ルート・コード
- **メジャー、マイナー、7th、ディミニッシュ・コードのシェープと、移動可能なフォーメイションを使ってそれらをプレイする方法**
- **いろいろなコード・タイプ(9th、6th、メジャー7th・コードなど)をプレイするために、移動可能なメジャー、マイナー、7thコードを変える方法**
- **これらの音楽用語の意味：**コード、移動可能なコード、ルート

監修者注：*1 これらのコードはCコード・フォームを基にしていますが、本書では特にCフォームの説明がないので、Aフォームのカテゴリーとして扱われています。

*2 黒丸のダイアグラムは、ドミナント7thコードを示していますが、ルート以外の音をすべてフラット（半音下げる）することでディミニッシュ7thコードになります。

F-D-A ロードマップ

3つのコード・フラグメントを使って フレットボード全体でコードをプレイする

すべてのFコード

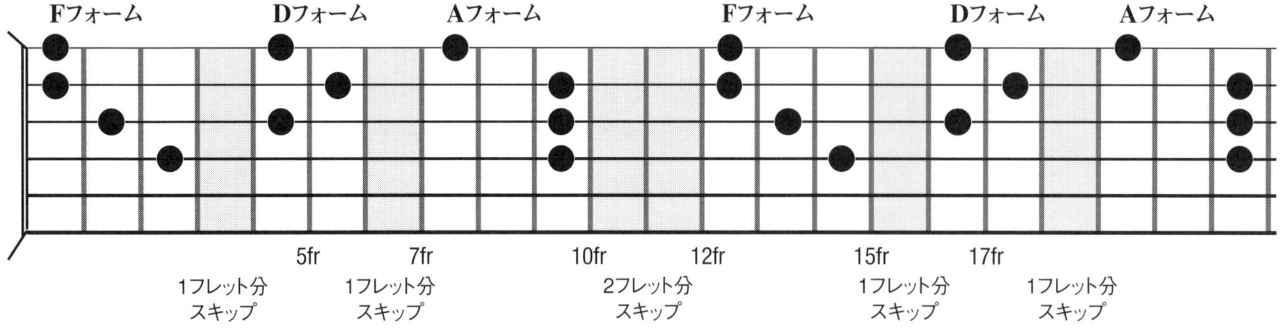

なぜ？

- **F-D-Aロードマップは、フレット・ボード全体であらゆるメジャー・コードを、3つのコード・フォームを使ってどのようにプレイするかを示しています。**これは、シングル・ノートやコード・スタイルのソロをインプロヴァイズするのに役立ちます。

どんなもの？

- 上のフレットボード・ダイアグラムのコードは、すべてFコードです。

どのように？

- このロードマップを暗記する際、**F**-スキップ1→**D**-スキップ1→**A**-スキップ2ということを忘れないようにしましょう。つまり、Fフォームをプレイしたら1フレット分スキップし、Dフォームをプレイしたら1フレット分スキップし、Aフォームをプレイしたら2フレット分スキップする、ということです。
- **F-D-Aロードマップ**を使って、すべてのDコードをプレイしましょう。

すべてのDコード

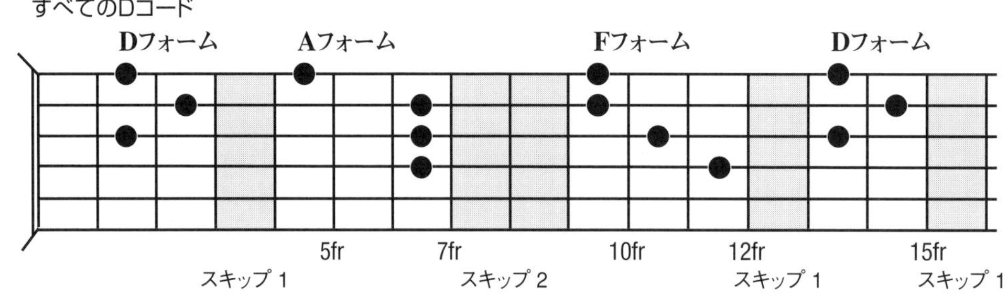

- **どのコード・フォームからスタートしても、フレットボードを上っていくことができます。F-D-Aロードマップ**はループ状に継続しており、どこからでも始められます。それは、**D-F-Aロードマップ**や**A-F-Dロードマップ**にもなり得ます。そして、**F**の後はスキップ1、**D**の後はスキップ1、**A**の後はスキップ2となり、スキップは常に同じです。
- **無数のリックやアルペジオを創るために、F，D，Aフォームに音をつけ加えることができます。**アルペジオをプレイするためには、音の低い方から上がりながら、または高い方から下がりながら、コードの各音を1つずつピッキングします。

加えた音を含むFフォーム

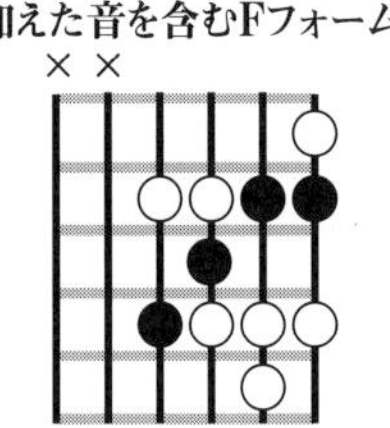

加えた音を含むDフォーム

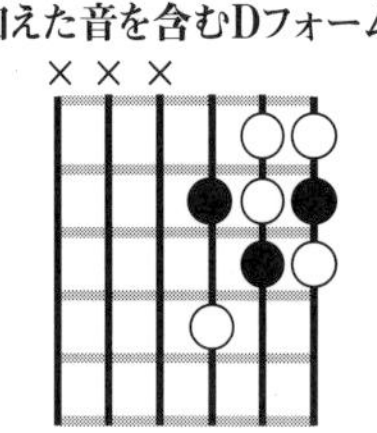

加えた音を含むAフォーム

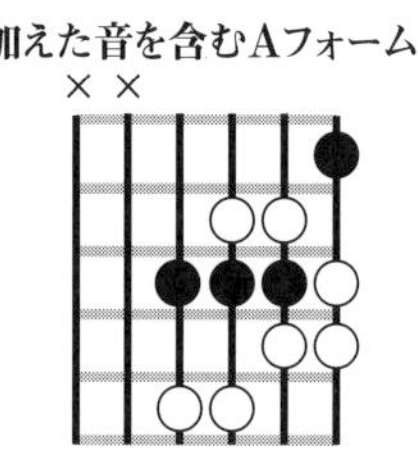

CDのナレーション：*これはGアルペジオです。*　　*そして次は、他の音を加えた、もう1つのGアルペジオです。*

Gコード・アルペジオ　Fフォーム

Gコード・アルペジオ　加えた音を含むFフォーム

やってみよう！

- 古いフォーク・ソングThe Sloop John B.のソロをプレイしましょう。このソロはコード・フォームに音をつけ加えて創られています。

The Sloop John B.

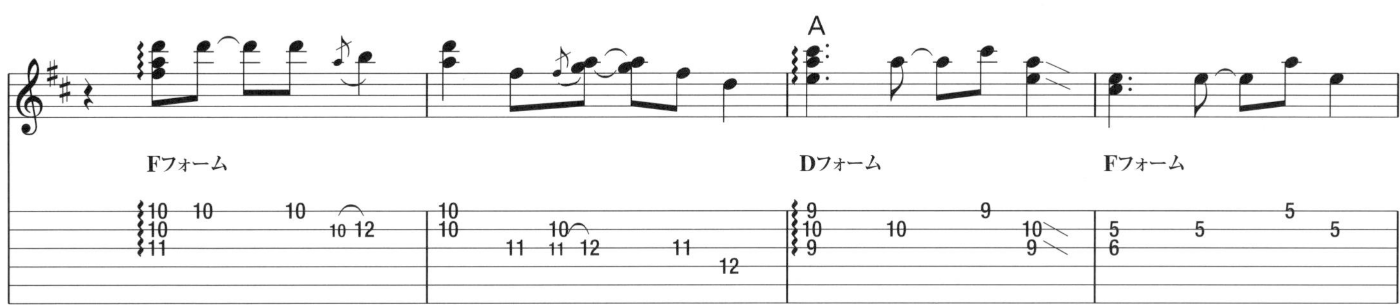

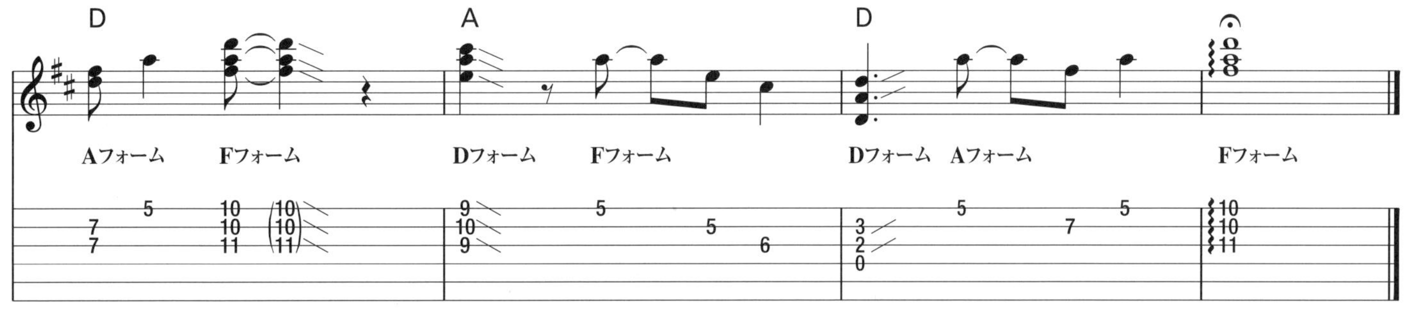

F-D-Aコード･アルペジオを使って、次のカントリー･スタンダードWabash Cannonballのソロをプレイしましょう。アルペジオを使って、フィンガーピッキングのサウンドを創り出します。

⑩ Wabash Cannonball - with Arpeggios

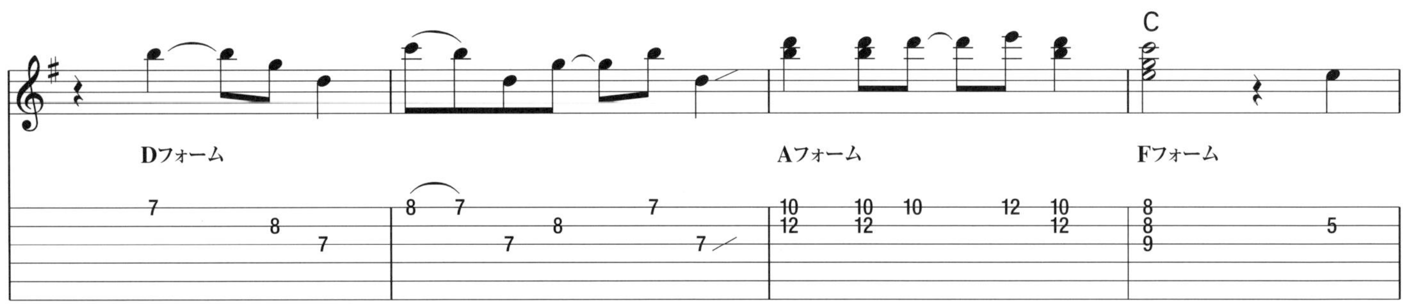

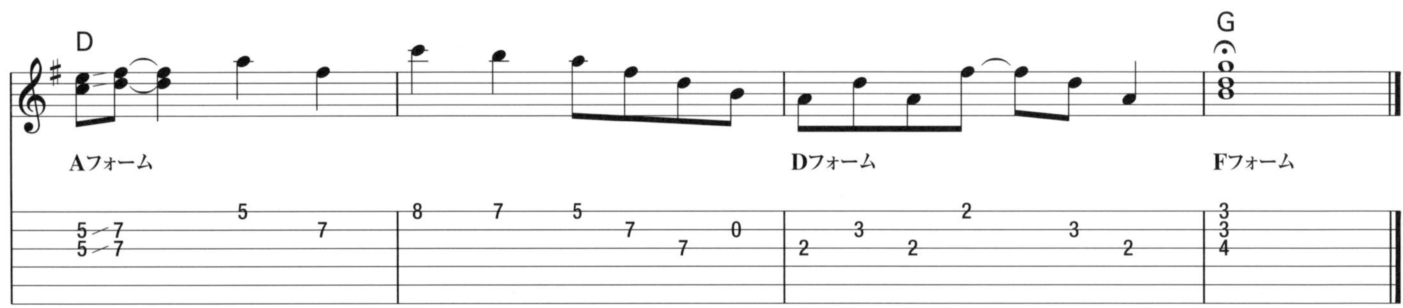

- **次は、F-D-Aコードを使った、キーEのソロです。**The Great Speckled Birdは、*Roy Acuff*によって広く知られるようになった曲で、I'm Thinking Tonight of my Blue Eyes，The Prisoner's Song，Wild Side of Life，その他多くののカントリー/ブルーグラスのスタンダードと同じメロディーをもっています。

11 The Great Speckled Bird

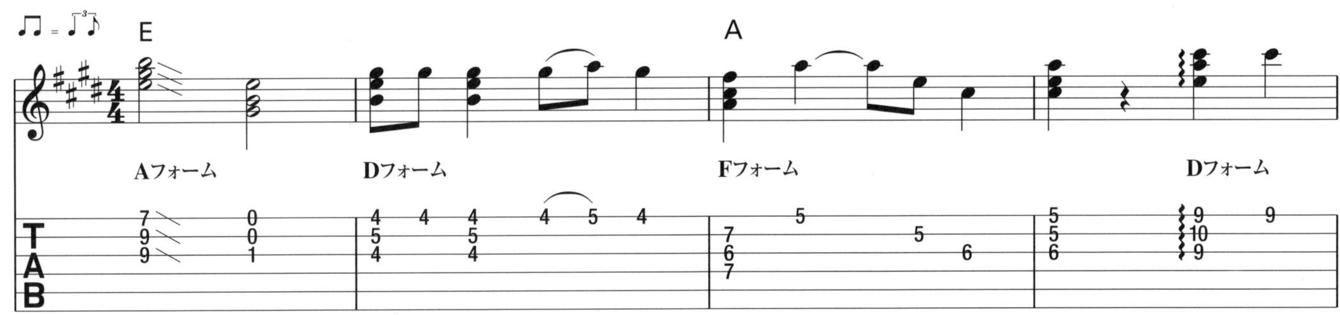

まとめ　ここで学んだこと…

- 3つのメジャー・コード・フラグメントをプレイする方法
- F-D-Aロードマップを使って、すべてのメジャー・コードをフレットボード全体でプレイするために、これらを利用する方法
- 多くのリックやアルペジオを創るために、これらを変化させる方法
- コード・フラグメントに基づく、移動可能なカントリー・リックとソロをプレイする方法
- 音楽用語：アルペジオ

コード・フラグメントとコード・ファミリー

コード進行の理解、3コード・フラグメントを使ったソロのアイディア

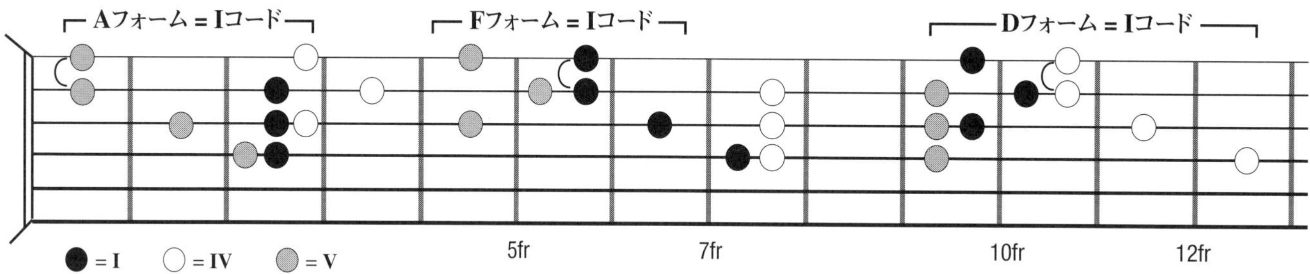

なぜ？

- コード・ファミリーを理解し、それらをフレットボード全体でプレイする方法を知っていれば、新しい曲を学んで、簡単にソロを創ることができるようになります。上のROADMAP 6は、ROADMAP 5の3つのコード・フラグメントをコード・ファミリーにアレンジしたものです。

どんなもの？

- **すべての曲にはコード進行があります**。コード進行とは、くり返されるコード順序であり、各コードはそれぞれ特定の小節数を演奏します。

- **多くの曲が、I, IV, Vという3つのコードでできています**。これらのスリー・コードがコード・ファミリーです。I, IV, Vコードは、プレイするキーのメジャー・スケール上に構成されるコードを表しています。
  - Iコードがその曲のキーです。CはCメジャー・スケールの第1音なので、キーCでは、CがIコードです。
  - IVコードは、プレイするキーのメジャー・スケールの、4番めの音をルートにもつコードです。FがCメジャー・スケールの4番めの音なので、キーCでは、FがIVコードです。
  - Vコードは、プレイするキーのメジャー・スケールの、5番めの音をルートにもつコードです。GがCメジャー・スケールの5番めの音なので、キーCでは、GがVコードです。

- **ROADMAP 6は、キーGのコード・ファミリーをプレイする3とおりの方法を示しています**。FフォームがIコードのもの、DフォームがIコードのもの、そしてFフォームがIコードのものです。

- **ROADMAP 6の位置関係は移動可能です**。1度身につけてしまえば、**自然にすばやいコード・チェンジをできるようなります。例えば、すべてのキーにおいて、IコードをFフォームでプレイしている時、Vコードは1フレット下のDフォームになります**。

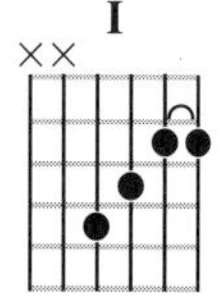

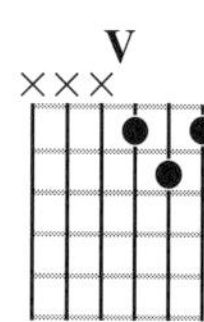

やってみよう！

◉ 次のスタンダードなI-IV-V進行でのソロは、コード・ファミリーの関係を覚える練習になります。

⑫

Island Fragments

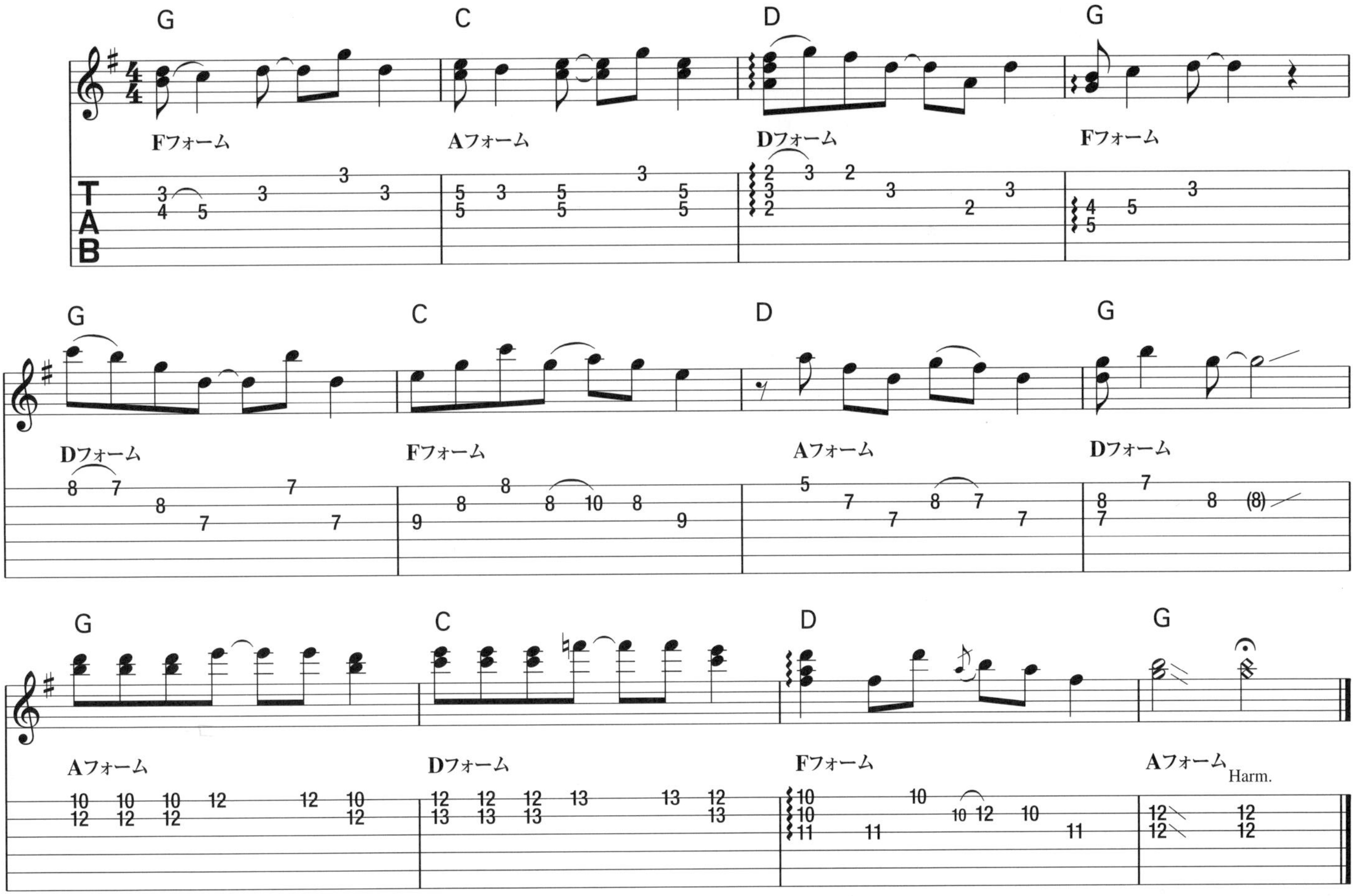

G C D G
Fフォーム Aフォーム Dフォーム Fフォーム
G C D G
Dフォーム Fフォーム Aフォーム Dフォーム
G C D G
Aフォーム Dフォーム Fフォーム Aフォーム
Harm.

◉ 次のI-IV-V進行では、ソロがコード・フラグメントのアルペジオでできています。ROADMAP 6を使えば、簡単に同じソロをすべてのキーでプレイすることができます。

⑬

It's All in the Family

A E D A
Fフォーム Dフォーム Aフォーム Fフォーム
A E A
Dフォーム Aフォーム Fフォーム Dフォーム

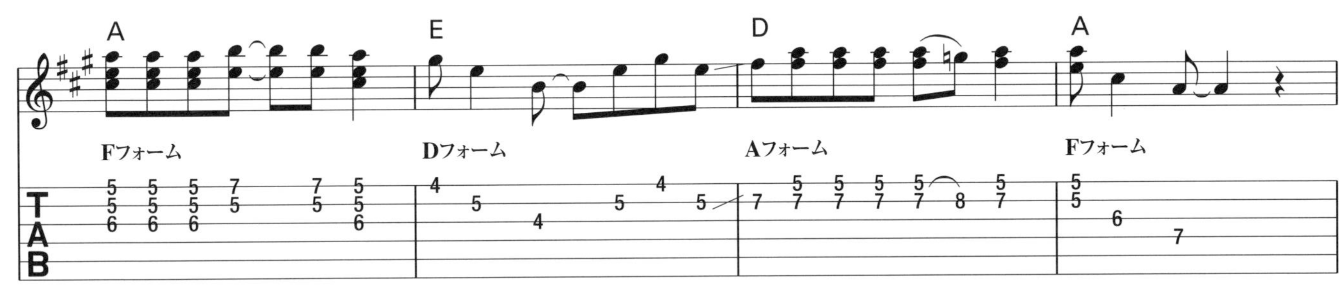

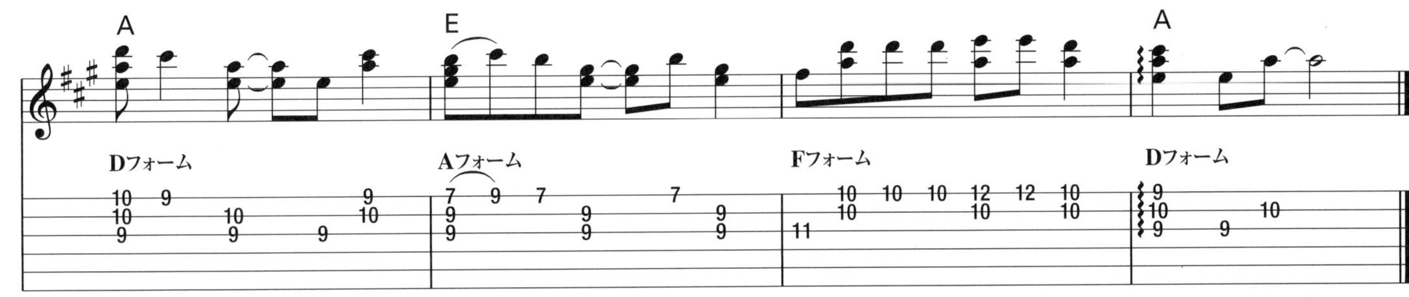

- 多くのブルーグラス·スタンダードが、次のブルーグラス·スタンダードであるWreck of Old 97と同じI-IV-V-I進行をもっています。コード·リックには、スライド、ハンマリング·オン、プリング·オフを含んでいます。
  - ハンマリング·オンは、最初の音をピッキングした後、別の指で弦を叩くように高い方の音を出します。ピッキングするのは最初の音だけです。
  - プリング·オフは、最初の音をピッキングした後、別の指で下方向へ弦をひっかけるようにして低い方の音を出します。ピッキングするのは最初の音だけです。

Wreck of Old 97 #1

G　Fフォーム　C　Aフォーム

G　Dフォーム　D　Aフォーム

G　Fフォーム　C　Aフォーム

G　Fフォーム　D　Dフォーム　G　Fフォーム

- **多くのブルーグラス、カントリーのスタンダードが、12小節ブルース進行に基づいています。**いくつか例をあげると、T for Texas，I'm Movin' On，Move It on Over，Folsom Prison Blues，Honky Tonk Blues，Muleskinner Bluesといった曲がそうです。下のコード進行はキーAの12小節ブルースです。

Key of A

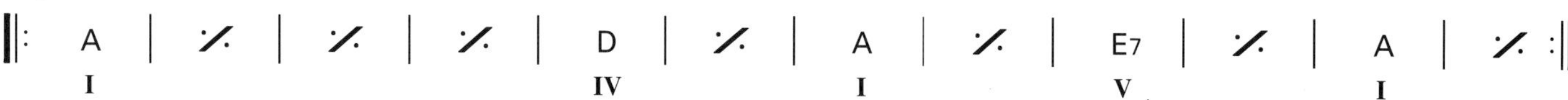

上の12小節ブルース進行の各小節は、４拍です。
リピート記号(⁒)は、前の小節と同じコードをプレイすることを意味しています。

- 次のソロでは、多くのブルー・ノート（♭3rd，♭5th，♭7th）がフィーチュアされています。ソロをプレイするにあたり、3つのコード・フラグメント（F，D，Aフォーム）にブルー・ノートを加える方法を示しておきます。

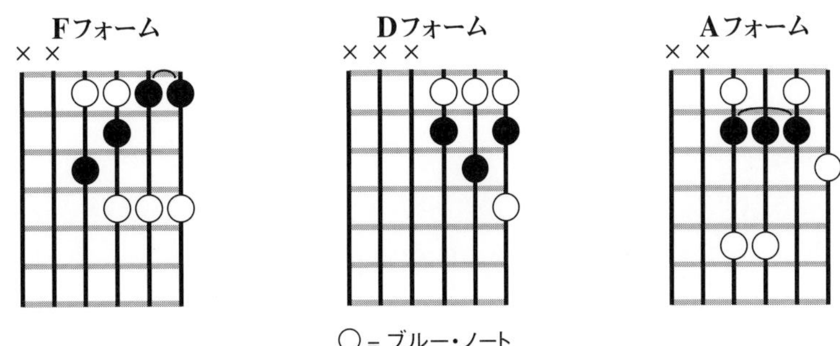

Blue Note Boogie

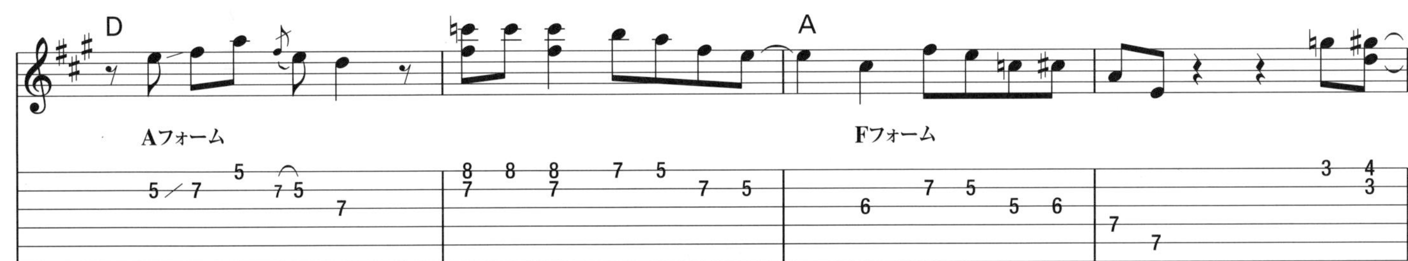

まとめ　ここで学んだこと…

- すべてのキーで、コード・フラグメントを使った、3つの異なるコード・ファミリーの場所を見つける方法
- リック、ストローク、アルペジオをプレイするために、3つのすべてのコード・フラグメントによるコード・ファミリーを使う方法
- コード・フラグメントにブルー・ノートを加える方法
- 音楽用語の意味：Iコード、IVコード、Vコード、コード・ファミリー、12小節ブルース、ブルー・ノート、ハンマー・オン、プル・オフ

移動可能なメジャー・スケール

各コード･フラグメントに1つのポジション：メロディーをプレイする

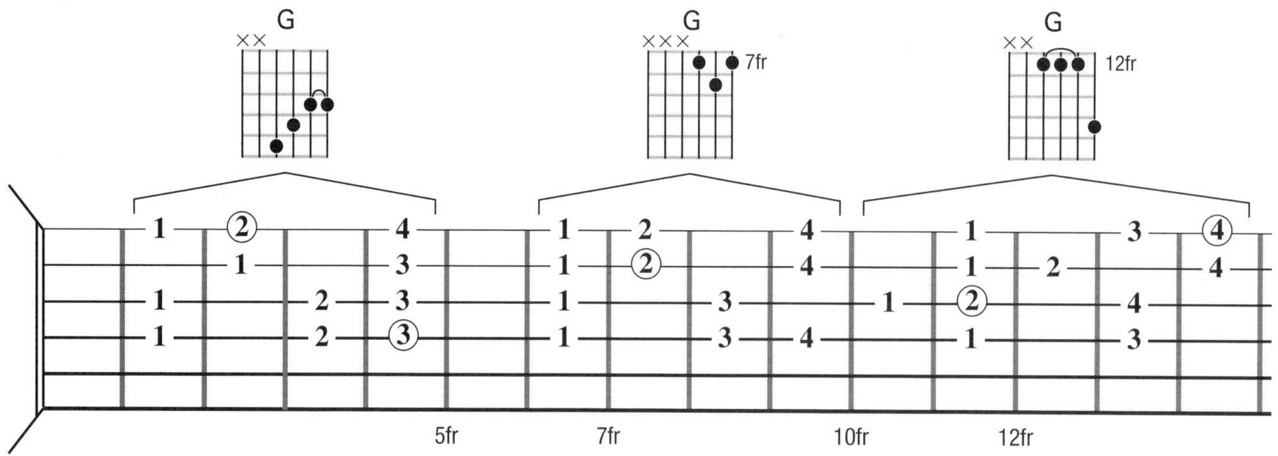

なぜ？

- 移動可能なメジャー･スケールは、すべてのキーでメロディーとアドリブをプレイするのに役立ちます。これをマスターすれば、すべてのプレイヤーのゴール(聴いたものを何でもプレイできるようになること)に一歩近づくことになります。

どんなもの？

- 上のROADMAP 7のフレットボード上の数字は、左手のフィンガリングを示しています。
- **ROADMAP 7の3つのスケールは、ROADMAP 5と6の、3つのコード･フラグメントに基づいています**。ルート音(このダイアグラムではすべてG音)が丸(○)で囲まれています。フレットを押さえる手を、メジャー･スケールの1つをプレイするための正しいポジションにもっていくためには、まず、適切なコード･フラグメントをプレイします。例えば、ROADMAP 7の最も低いGスケールをプレイするためには、まず第3フレットでFフォームをプレイします。

どのように？

- **これらは3つのGコード･フラグメントに対応した、3つのGスケールです**。スケールをプレイする前に、コード･フラグメントをプレイします。各スケールをルートから始めれば、おなじみの**ド-レ-ミ**のサウンドであることが分かるでしょう。次のメジャー･スケールの練習をプレイしましょう。これはウォーミング･アップに最適です

CDのナレーション：*これは、Fフォームに基づくGメジャー・スケールです。練習としては、このようにリピートするとよいでしょう。*

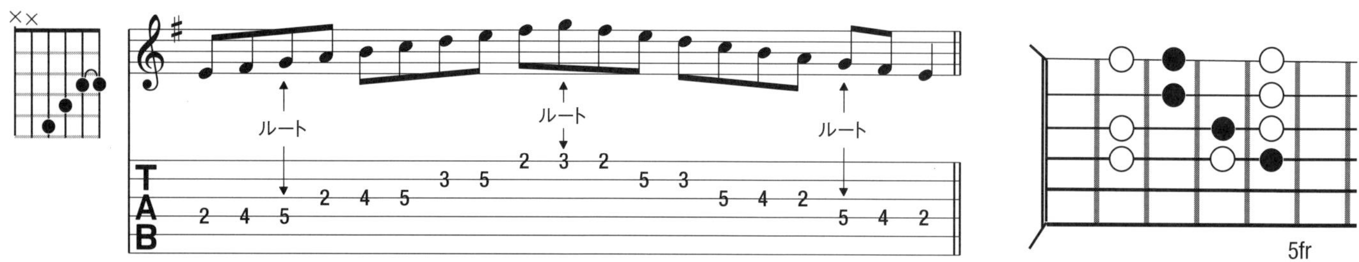

CDのナレーション：*次は、Dフォームに基づくGメジャー・スケールです。*

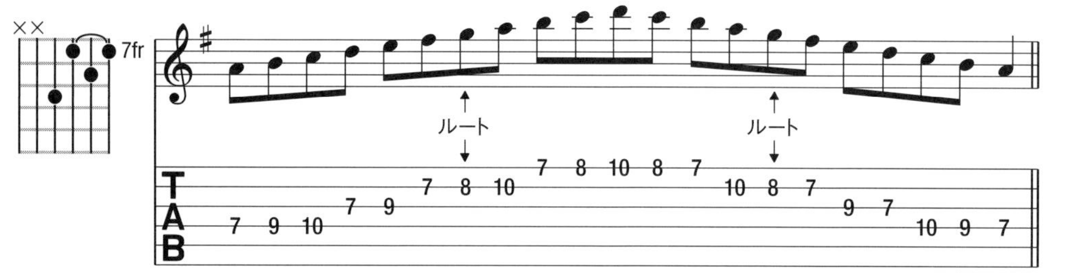

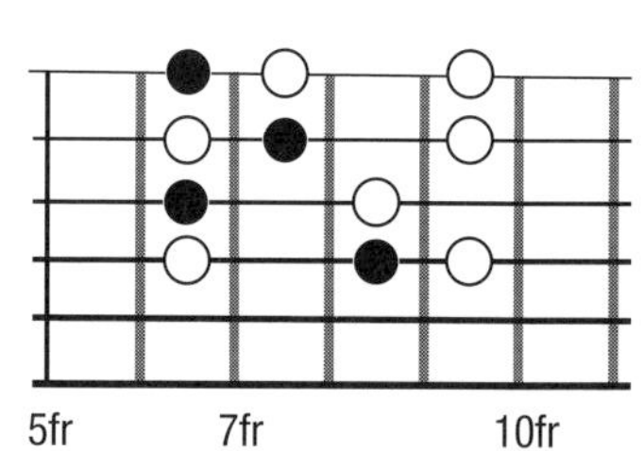

CDのナレーション：そして次は、Aコードのシェープに基づくGメジャー・スケールです

- **曲のキーに合ったメジャー・スケールに基づいてソロをプレイすることができます。**キーがCであれば、たくさんのコード·チェンジがある曲でも、Cメジャー·スケールのリックで、曲をとおしてアドリブできることがしばしばあります。

やってみよう！

- 次のフィドル用の曲をプレイするのに、メジャー·スケールを使いましょう。これらの曲は、私が好んでいるものです。

Arkansas Traveler

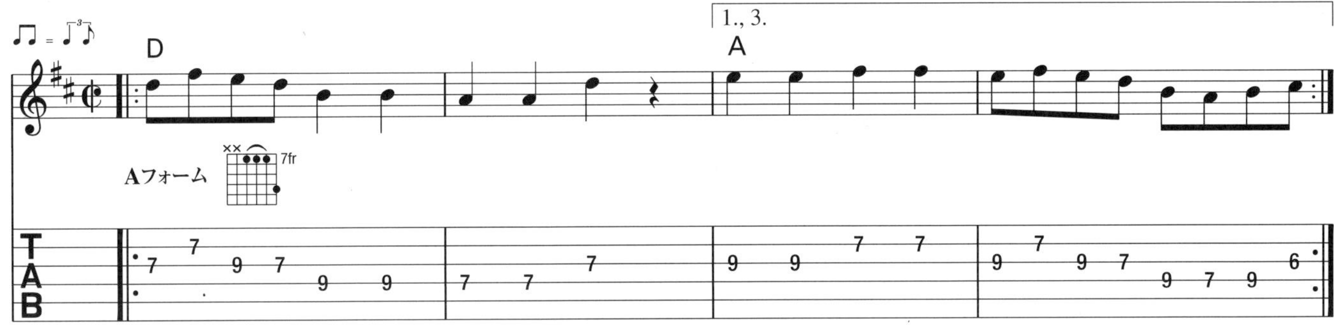

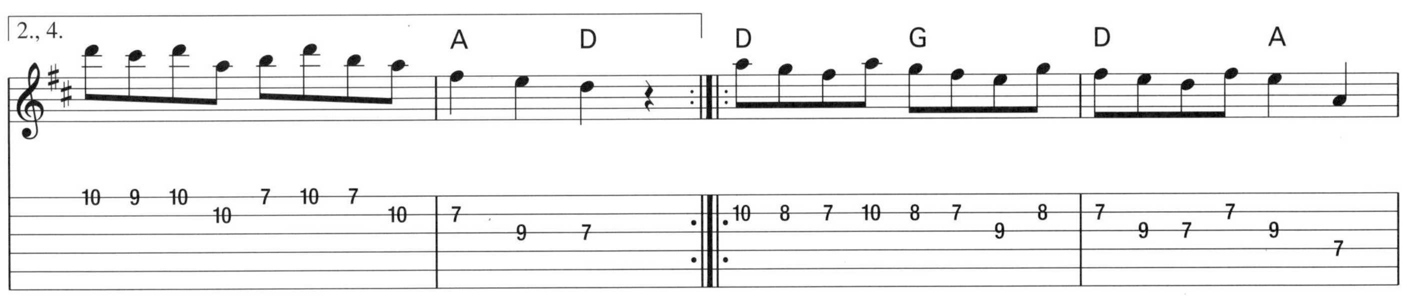

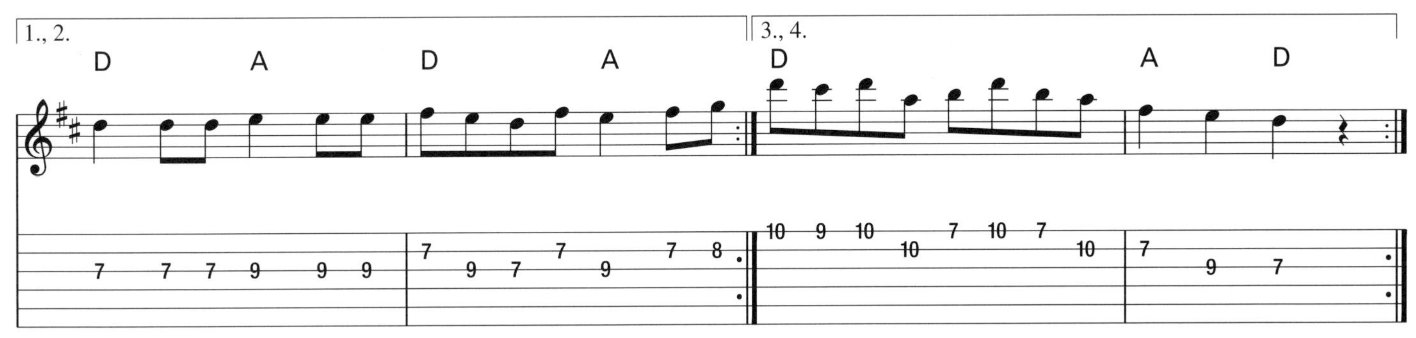

Turkey in the Straw

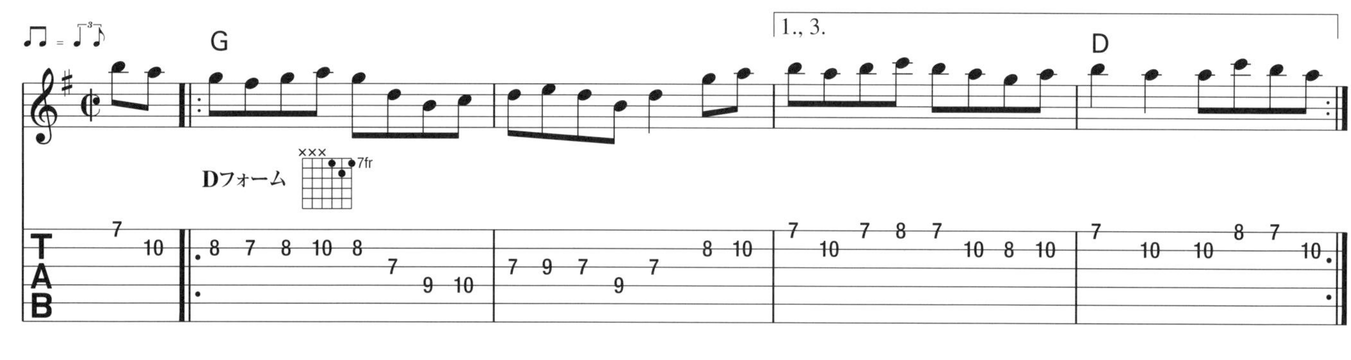

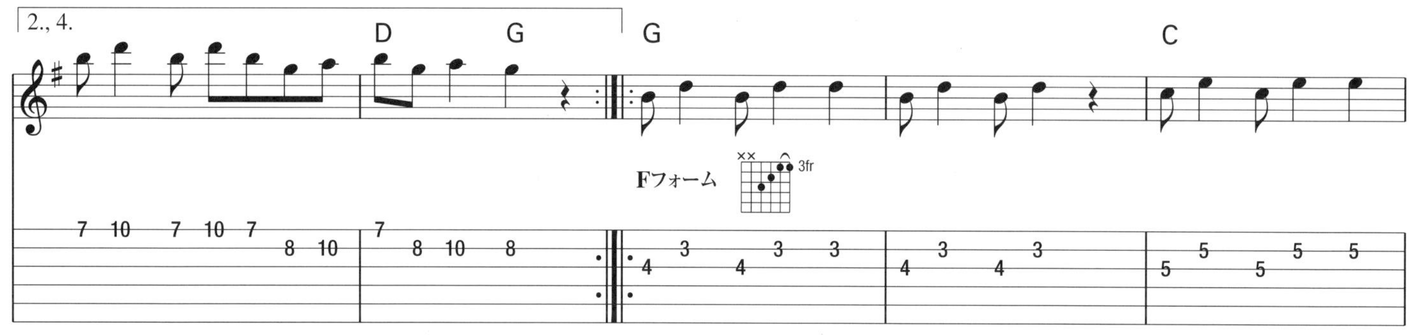

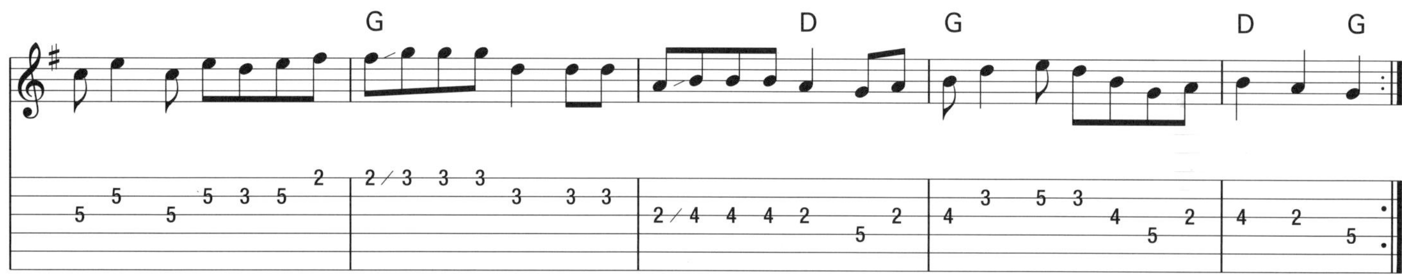

Soldiers' Joy

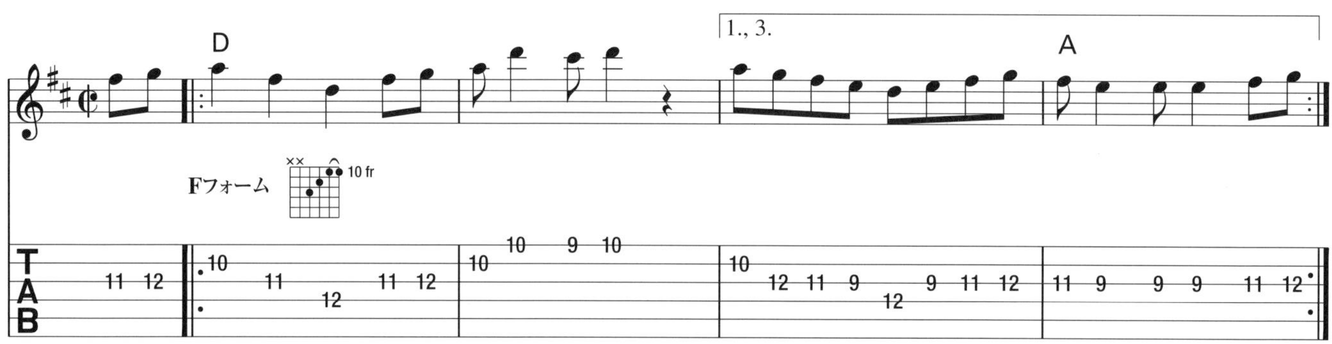

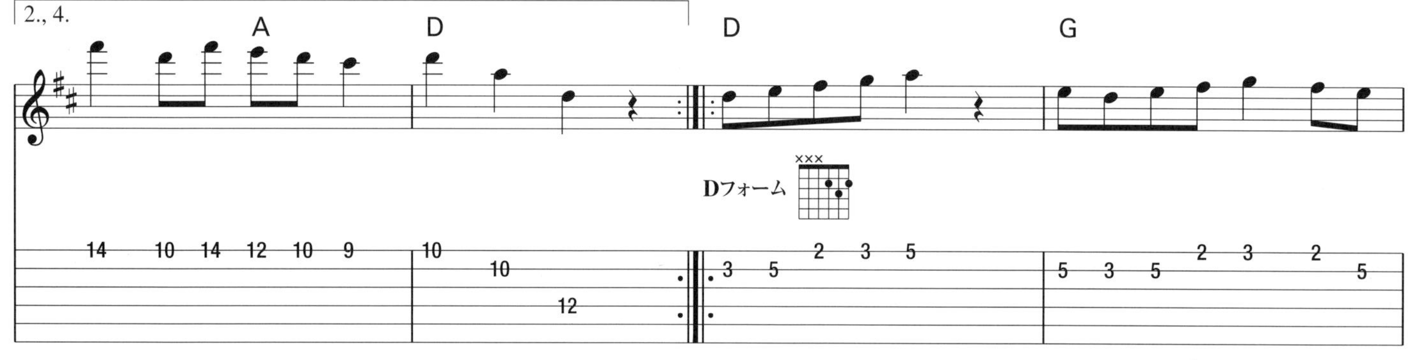

ジャムをするのにメジャー・スケールを使いましょう。曲のキーのメジャー・スケールを上行、下行することで、３音か４音のフレーズを創ることができます。スケールの音をプレイする限り、**まちがい**になることはありません。練習し、試して、失敗をくり返すことで、インプロヴィゼイションを学んでいくことでしょう。次の、古いカントリーの曲Redwingのソロで、その方法を見ることができます。このソロでは、３つのGメジャー・スケールが使われています。

21

Redwing

G　C

Fフォーム / Gメジャー・スケール

G　D　G　A

D　G　C

G　D　G　A　D　G

Dフォーム / Gメジャー・スケール

Aフォーム / Gメジャー・スケール

メロディックなソロをプレイするために、メジャー・スケールを使いましょう。下のBury Me Beneath the Willowでは、スライドや、フィドル曲のようなスケールやアドリブ・リックを使ってソロを装飾する方法を示しています。

22 Bury Me Beneath the Willow

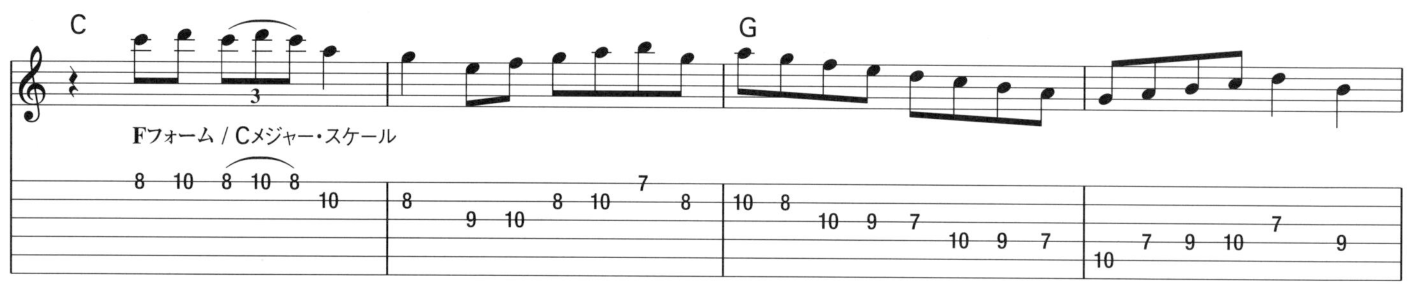

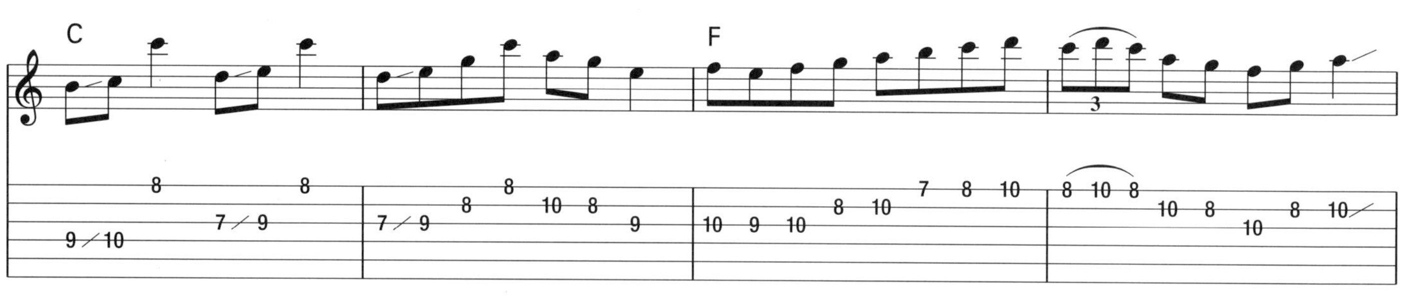

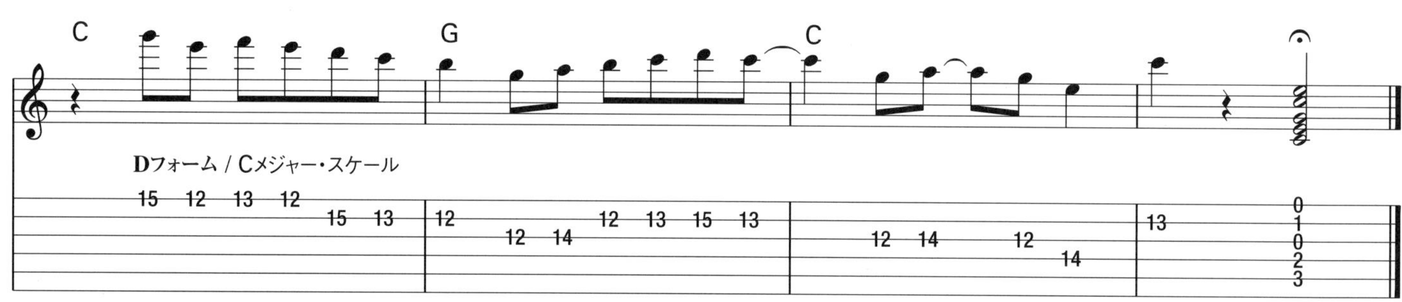

- 曲が1つのコードに長い間(4小節、またはそれ以上)留まっている時、そのコードを基となるメジャー・スケールに基づいてソロをプレイします。下のBanks of the Ohioでは、基本的に、ソロイストはAメジャー・スケールをプレイしますが、3小節めからの4小節間のEコードでは、Eメジャー・スケールに換えています。

23

Banks of the Ohio

まとめ　ここで学んだこと…

- 各キーで、3つの移動可能なメジャー・スケールをプレイする方法
- フィドル曲をプレイするために、それらを使う方法
- コード・フラグメントにブルー・ノートを加える方法
- メロディーやアドリブ・ソロを装飾するために、ブルー・ノートを使う方法

メジャー・スケールのダブル・ノート・リック

ソロとバッキングのためにメジャー・スケールをハーモナイズする

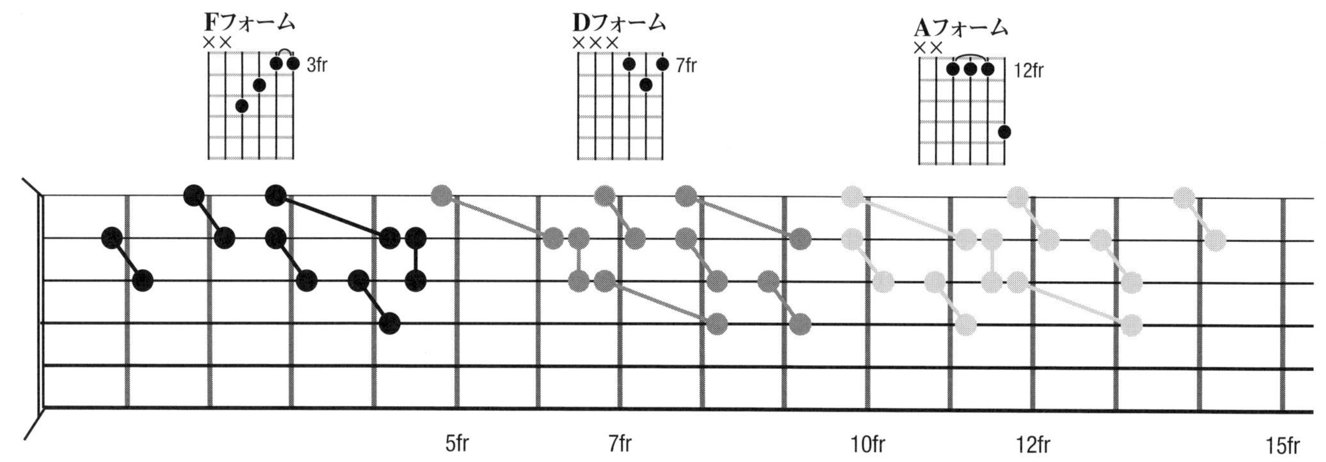

なぜ？

- これらの移動可能なダブル・ノート・パターンは、ROADMAP 7のメジャー・スケールを使った装飾音です。これは、ブルーグラスでしばしば使われるものですが、*テックス-メックス、カリビアン、ハワイアンのフレーヴァーを出すためにも使われます。

どんなもの？

- **上のROADMAP 8のダブル・ノート・パターンは、Gメジャー・スケールを3度音程でハーモナイズしたものです。**
- **3つのパターンは、ROADMAP 7のメジャー・スケールに基づいており、それはROADMAP 5と6のF-A-Dフォームの順番に基づいています。**

どのように？

- **メジャー・スケールと同様に、各パターンは曲をとおして使うことができます。**キーGで、上記の3つのパターンのどれを使ってもアドリブすることができます。

やってみよう！

- **フィルとして、またはソロの中でダブル・ノート・リックを使いましょう。**次のNine Pound Hammer #6のブルーグラス・ヴァージョンでは、ヴォーカル部分のダブル・ノート・フィルと、ダブル・ノート・リック、シングル・ノート、コードに基づくリックを組み合わせたソロがフィーチュアされています。

* Tex-Mex（Texsas-Mexico）：メキシコと国境に接するテキサス州を中心に発展した、メキシコ系アメリカ人による音楽。メキシコ北部の民謡とのかかわりが強い。

24 Nine Pound Hammer #6

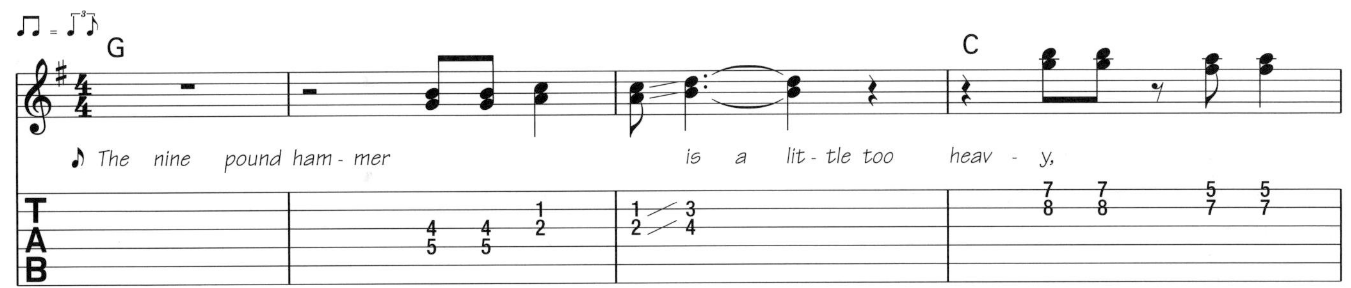

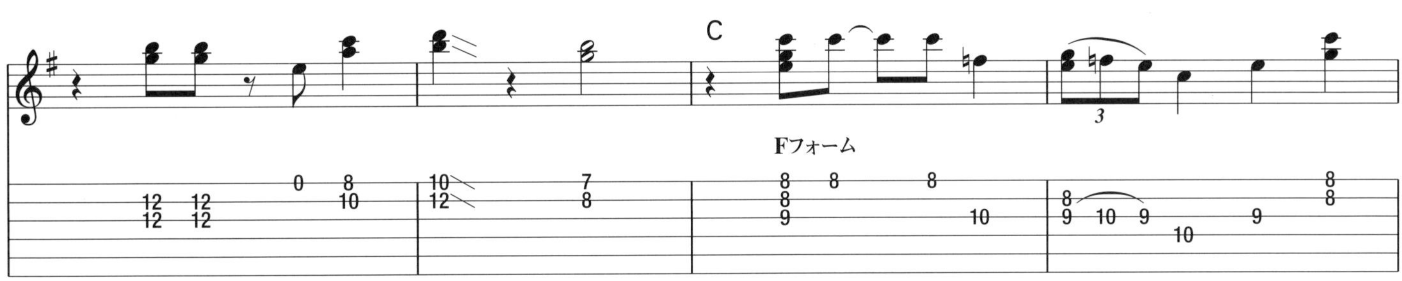

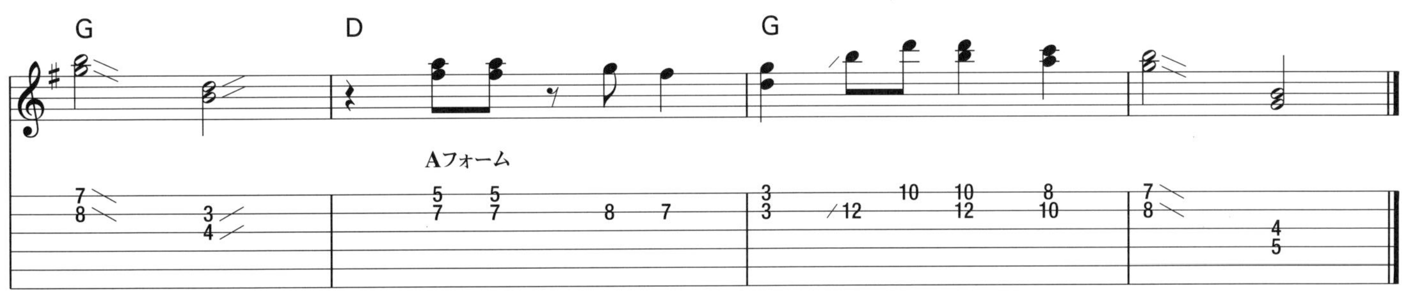

次はダブル·ノート·リックをフィーチュアした、Careless Loveのソロです。

Careless Love

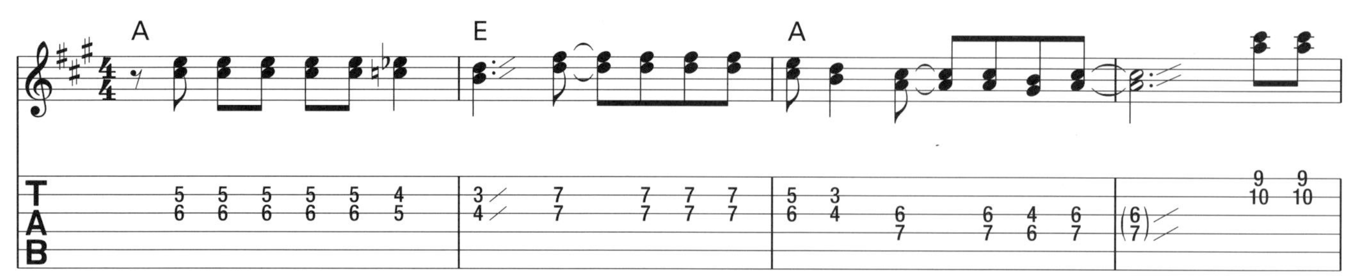

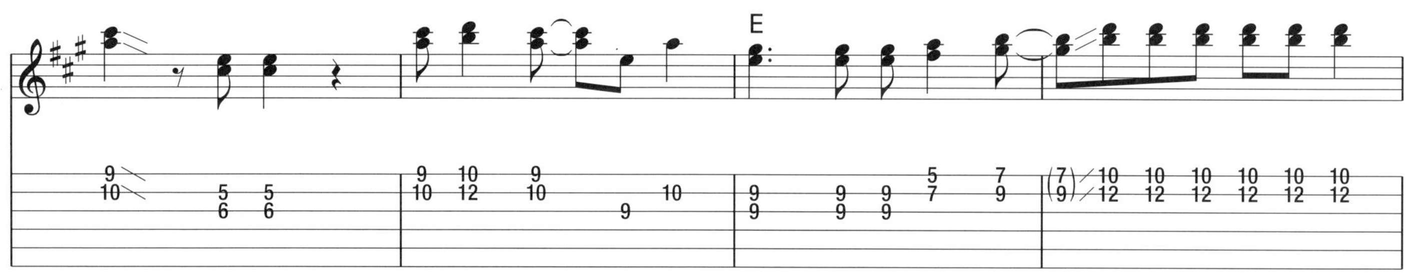

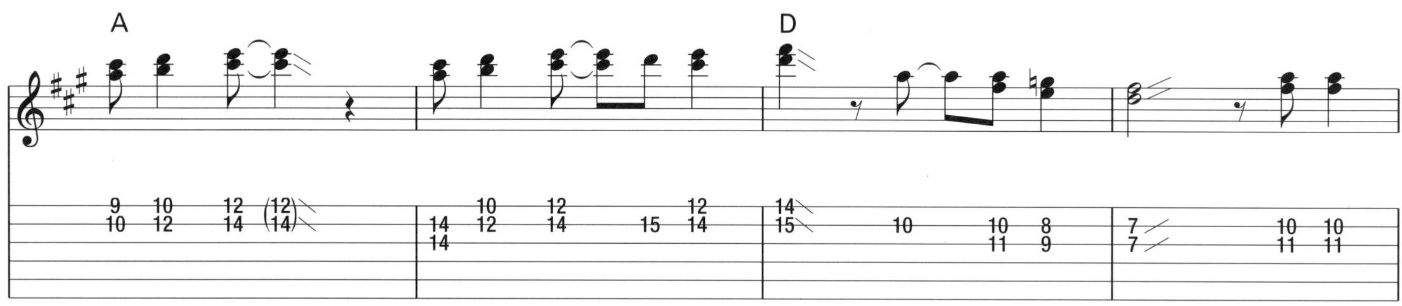

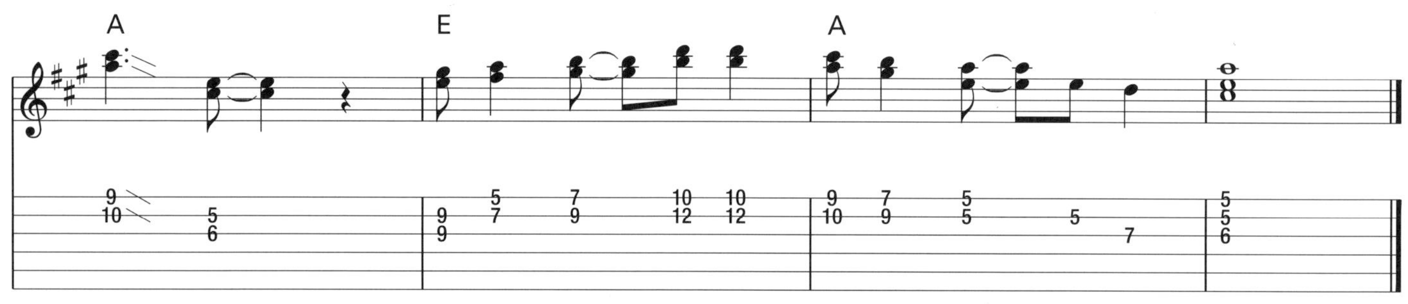

まとめ　ここで学んだこと…

- 3つの移動可能なメジャー·スケールを3度音程でハーモナイズする方法
- ハーモナイズされたスケールをリックやソロに使う方法

2つの移動可能なブルース・ボックス

フレットボード全体を使った ソロのための移動可能なパターンと代理スケール

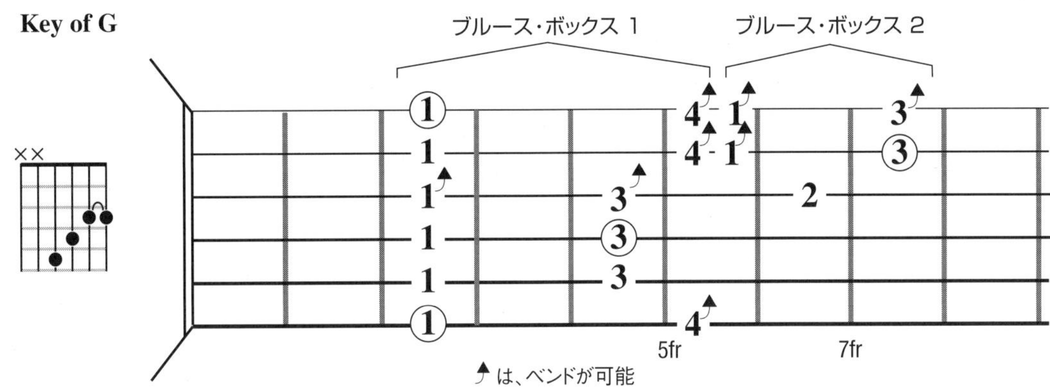

なぜ？

- 上のROADMAP 9の移動可能なスケールは、**ブルース・ボックス**と呼ばれ、現代のブルースとロック・ギターの基礎になっています。そして、カントリー、フォーク、ブルーグラス・ミュージックにおいてもよく使われています。

どんなもの？

- **上の2つのボックスは、Gブルース・スケールです。**ルート音は丸(○)で囲まれています。数字は左手のフィンガリング・ポジションを示しています。
- **コード・チェンジにかかわらず、しばしば曲をとおして、1つのブルース・ボックスだけでソロをプレイすることができます。**
- ベンドを示す**矢印**(3, 4)**のついたスケール・ノートは、弦を引っ張り、または押し上げ、ブルージーな効果を創り出します。**ベンディング・テクニックは、左手(弦を押さえている手)で、ピッチを上げるために、弦を引き上げたり下げたりするもので、ブルースのサウンドには、とても重要なテクニックです。

CDのナレーション：*弦を引っ張り上げてベンディングする方法には、たくさんの選択肢があります。例えば、まず2弦5フレットをベンドします。すると、1フレット分音が高くなります-音-。ベンドした音を下げる(ベンド・ダウン)することもできます-音-。アコースティック・ギターの弦でも2フレット分ベンドすることができます-音-。*

- **ブルース・ボックスはペンタトニックです。**ペンタトニックとは5つの音で構成されますが、他の音を加えることもできます。それでもサウンドはブルージーです。

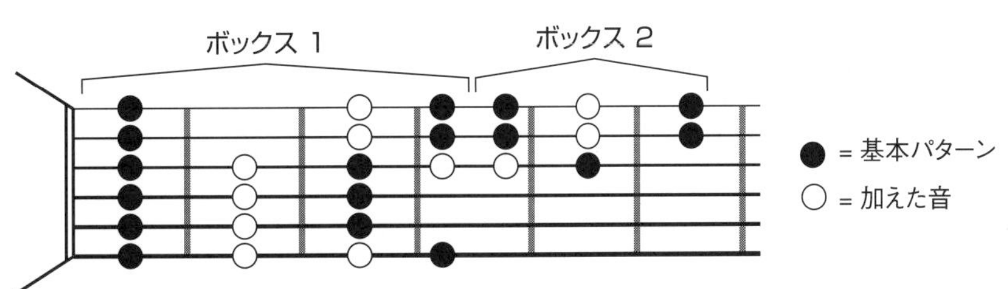

どのように？

- **左手をブルース・ボックス 1のポジションに置いて、適切なフレットでFフォームをプレイします。**キーGでは、Fフォームを第3フレットでプレイするとGコードになります。

CDのナレーション：*これは、キーGのブルース・ボックス 1です。*

ブルース・ボックス 1　**Key of G**

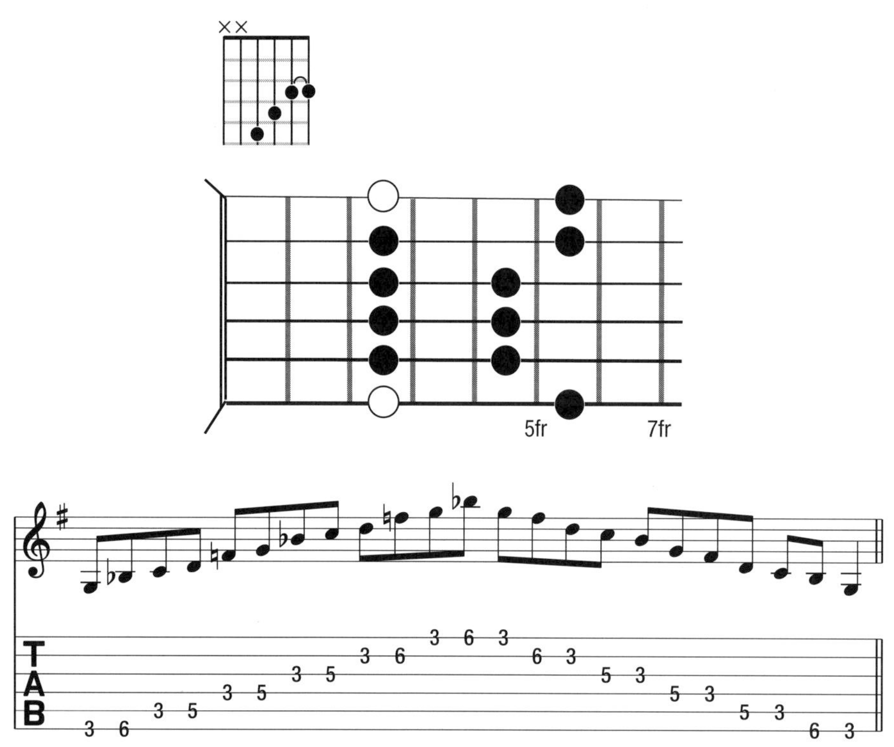

- **左手をブルース・ボックス 2のポジションに置いて、薬指で2弦のルートをプレイします。**キーGでは、薬指で2弦第8フレットのG音をプレイします。

CDのナレーション：*そして、キーGのブルース・ボックス 2です。*

ブルース・ボックス 2　**Key of G**

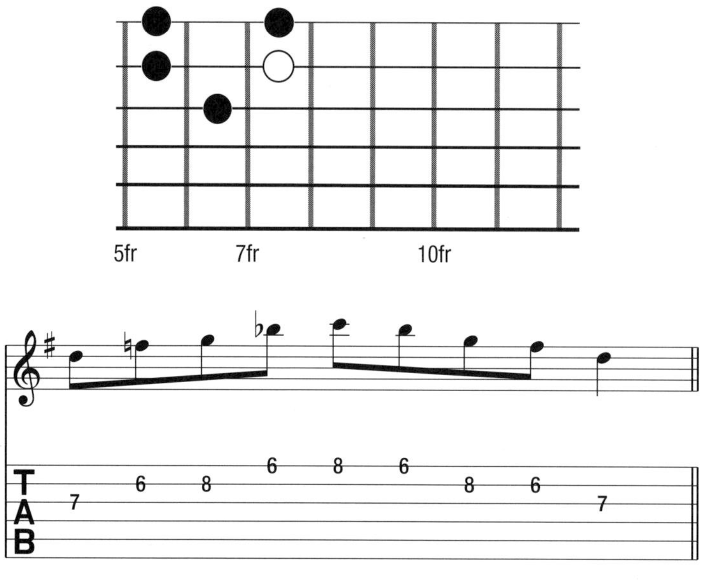

やってみよう！

- アドリブ・ソロにブルース・ボックスを使いましょう。次のソロは、ブルーグラスのスタンダード曲Roll in My Sweet Baby's Armsで、キーGの２つのブルース・ボックスを使っています。

28

Roll in My Sweet Baby's Arms

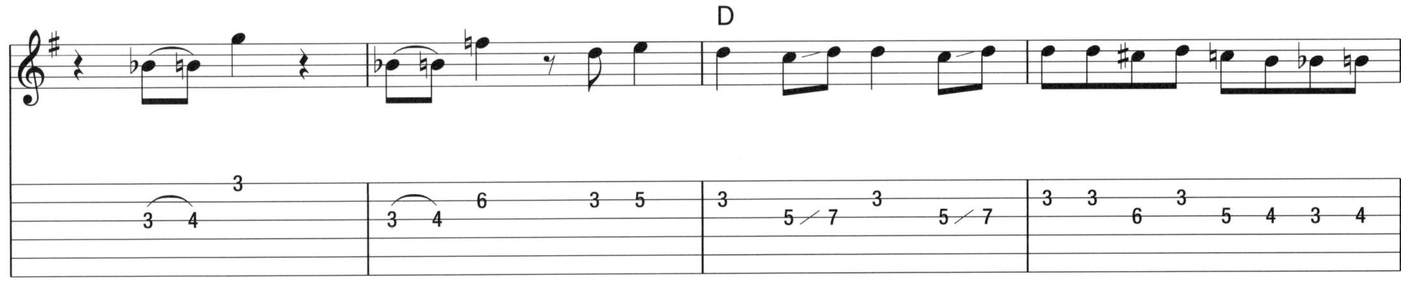

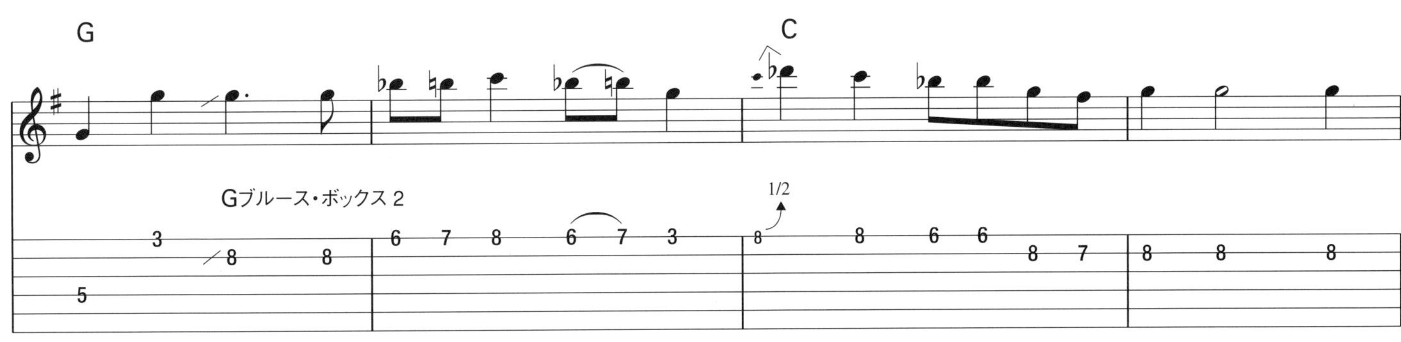

マイナー・キーをプレイするためにブルース・ボックスを使います。次の古典的なゴスペルの曲である、Aマイナー・キーのWayfaring Strangerのソロは、Aブルース・ボックスに基づいています。

Wayfaring Stranger

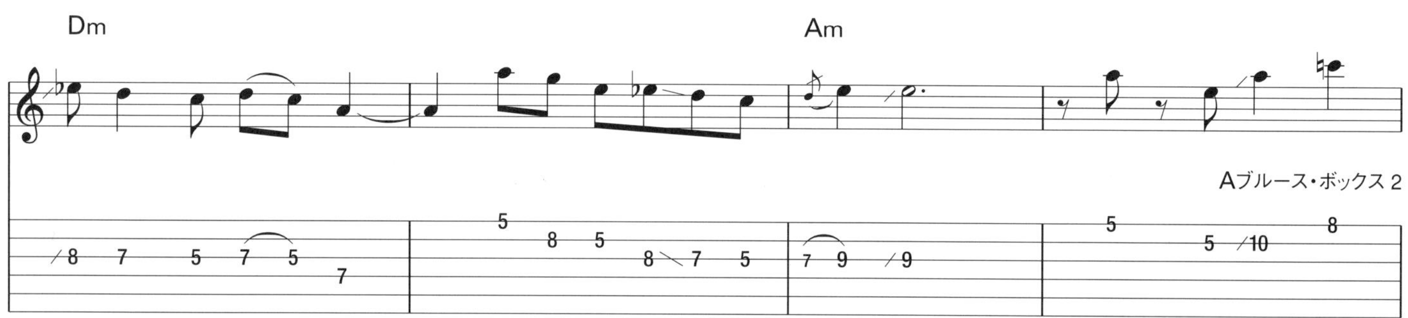

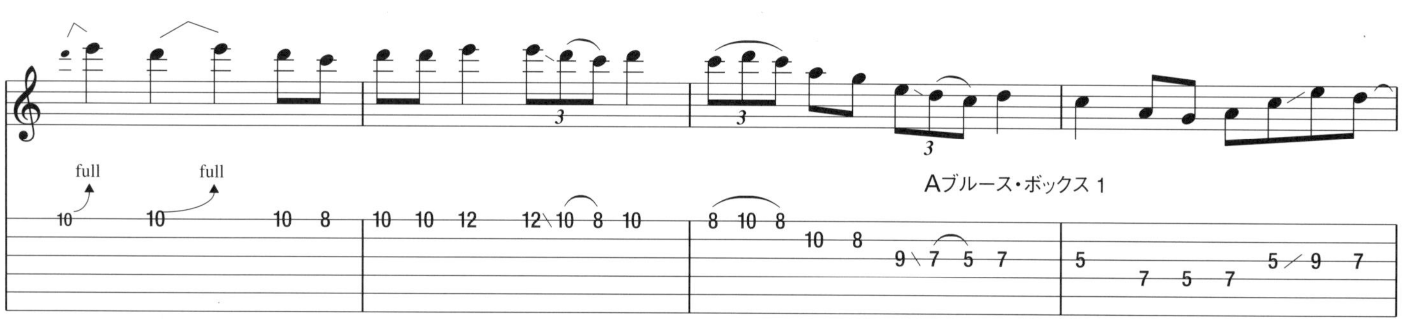

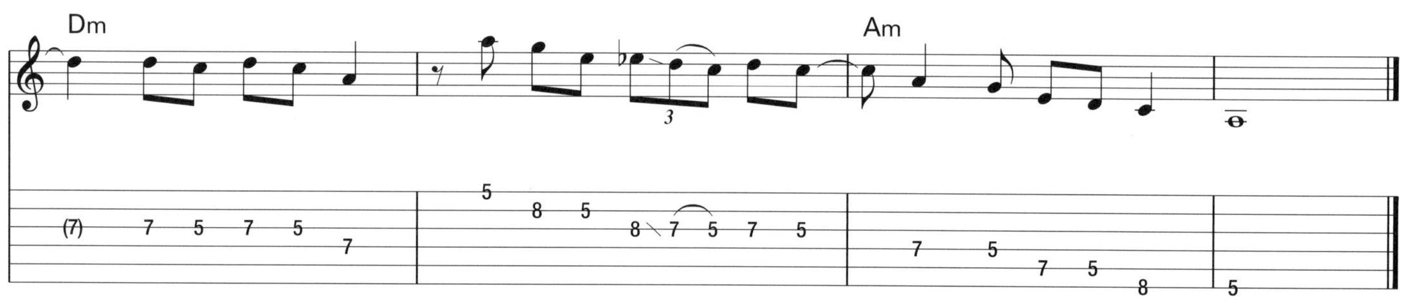

- *平行短調（リレイティヴ・マイナー）ブルース・スケールによる代理：曲がブルージーなフィーリングを要求していない場合でも、それらを曲の実際のキーより3フレット下げて（低い方へ）プレイするブルース・ボックス1と2を使うことができます。

例えば、次の古いゴスペル・ソングMary, Don't You WeepはキーCですが、第8フレットのCブルース・ボックスを使う代わりに、その3フレット下の第5フレットからスタートするAブルース・ボックス 1と2を使います。

Mary, Don't You Weep

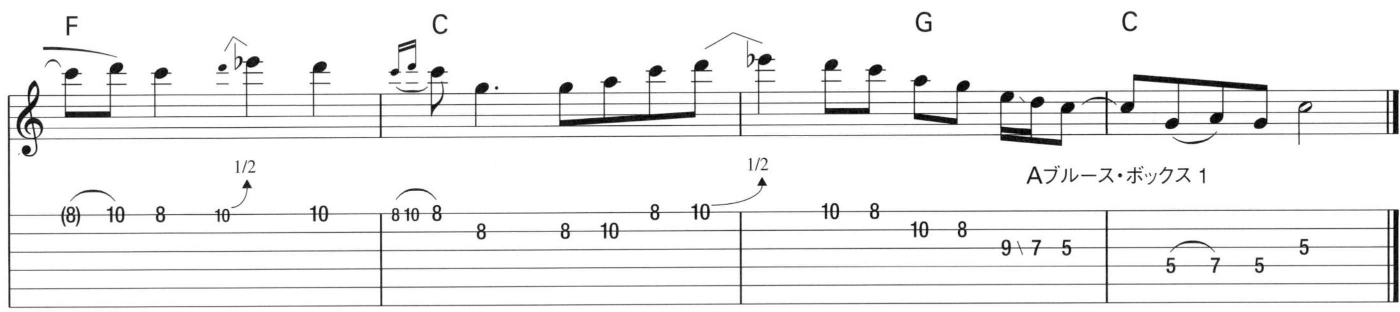

まとめ　ここで学んだこと…

- 2つの移動可能なブルース・ボックス
- 各ボックスでプレイできる多数のリック
- メジャーとマイナーのすべてのキーで、シングル・ノートのソロをインプロヴァイズするためのボックスの使い方
- ブルース・ボックスが曲にフィットしない場合の、平行短調ブルース・スケールの代理の使い方

* relative minor：メジャーと同じ調号をもつマイナーのことで平行調という。同じ主音をもつメジャーとマイナーを同主調または同名調というが、これを英語でparallel keyというため、平行調と混同している人が多く見受けられる。

メジャー・ペンタトニック・スケール
ソロに2つのスライディング・スケールを使う方法

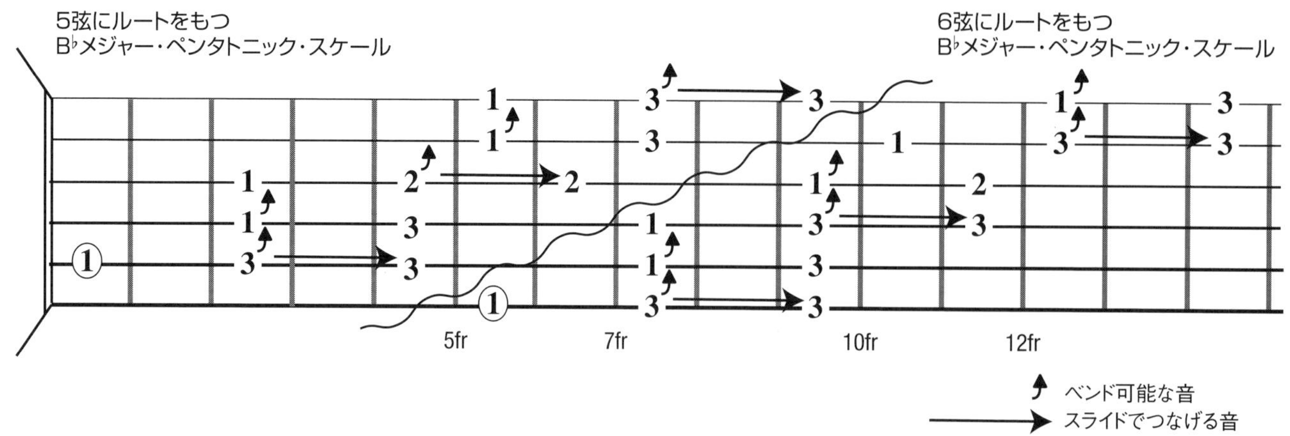

なぜ？

- 上のROADMAP 10の２つのスケールは、すべてのリード・ギタリストにとって大切なものです。これらは、カントリー、ロック、フォーク、ブルーグラス、そしてスリー・コードのシンプルな曲やコード・チェンジの多い曲の演奏において役に立ちます。

どんなもの？

- 上のROADMAP 10は、２つのB♭スケールです。**１つは６弦ルート、もう１つは５弦ルートです**。どちらもルートが丸(○)で囲まれています。
- **これらのスケールには、長い矢印で示されているように、スライドが組み込まれています**。その結果、各スライディング・スケールは10フレットの広範囲におよんでいます。
- **矢印(3↑, 4↑)のついたスケール・ノートは**、ベンドを示します。
- **しばしば、１つのスライディング・スケールは、１曲をとおしてプレイされます**。もしキーCの曲なら、Cスライディング・スケールだけでプレイできます。
- **コード・チェンジに沿ってプレイすることもできます**。スライディング・スケールを各コード・チェンジに合わせて使います。これは特に、１つのコードが２、３小節以上止まっている場合などに有効です。
- **メジャー・ペンタトニック・スケールは**、１度，２度，３度，５度，６度という５つの音で構成されています。キーがCの場合は、C(1st)，D(2nd)，E(3rd)，G(5th)，A(6th)となります。

どのように？

- **次の２つスライディング・スケールを何回もくり返しプレイし、慣れておきます。**

31 CDのナレーション：*これは5弦ルートのCスライディング・スケールです。練習としては、何回もくり返し弾くとよいでしょう。*

Cスライディング・スケール　5弦ルート

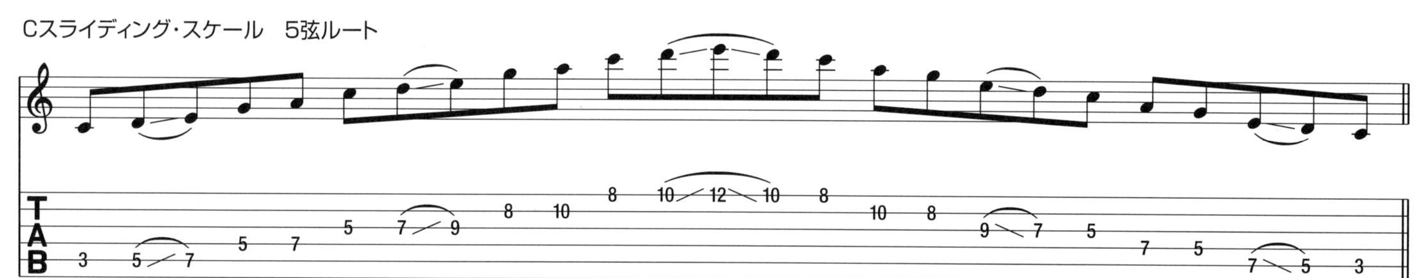

CDのナレーション：もう１つのCスライディング・スケールです。今度は６弦ルートです。

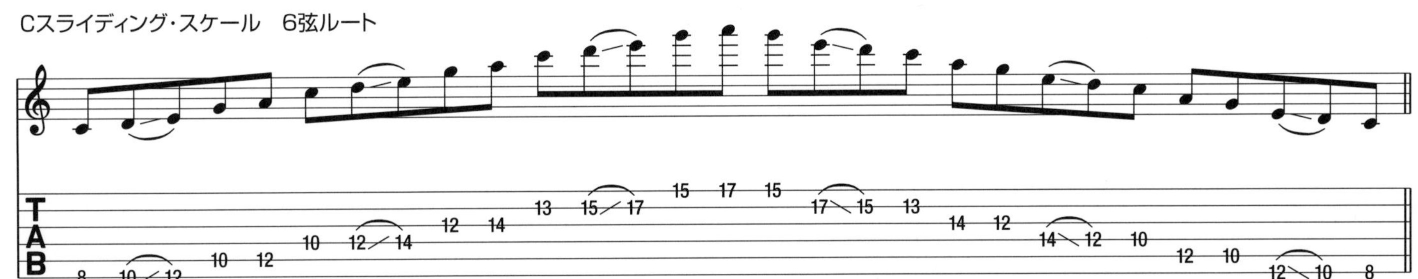

やってみよう！

次のWreck of Old 97 #2のソロをプレイしましょう。これはB♭スライディング・スケールで構成されています。

32 Wreck of Old 97 #2

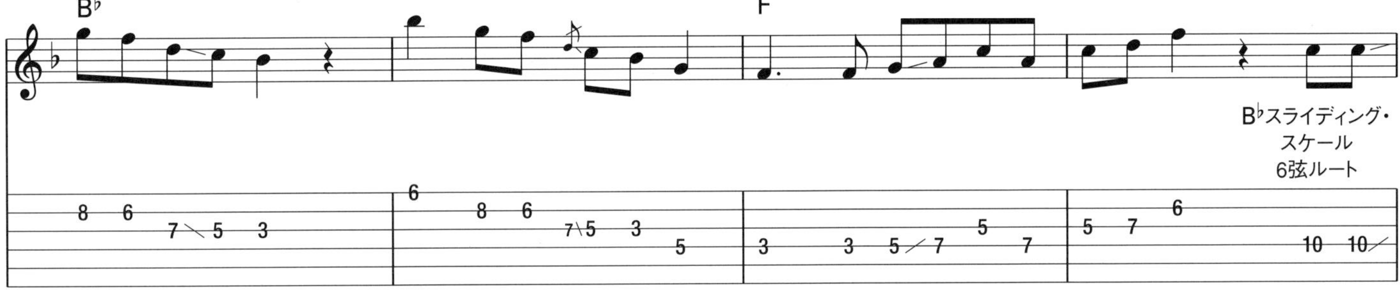

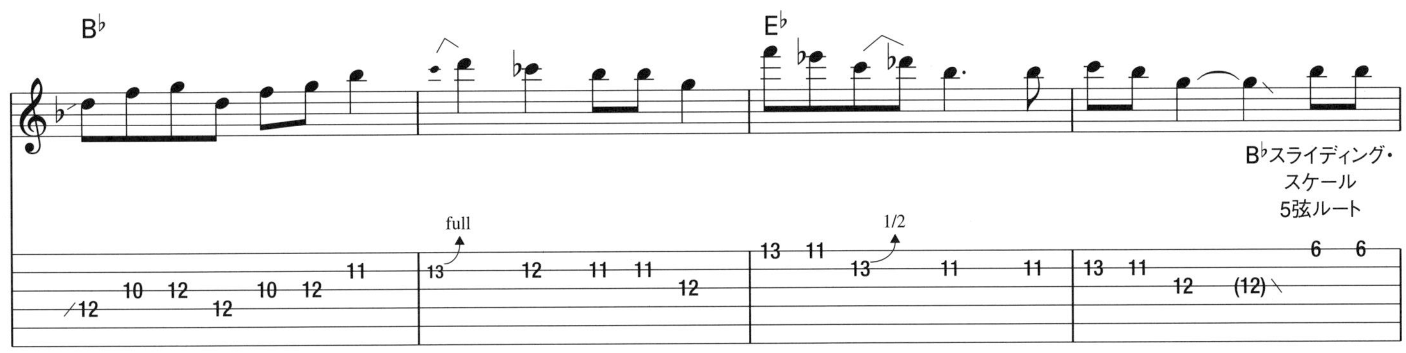

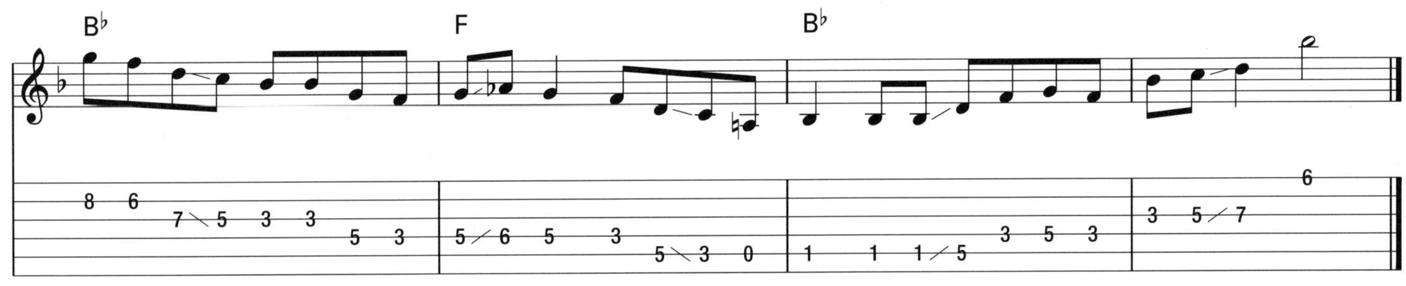

次のWorried Man Bluesのソロは、コード・チェンジに沿ってプレイしています。キーGで、G，C，Dスライディング・スケールを使っています。

Worried Man Blues

●次も、スライディング・スケールを使ったTake This Hammerのソロです。

Take This Hammer

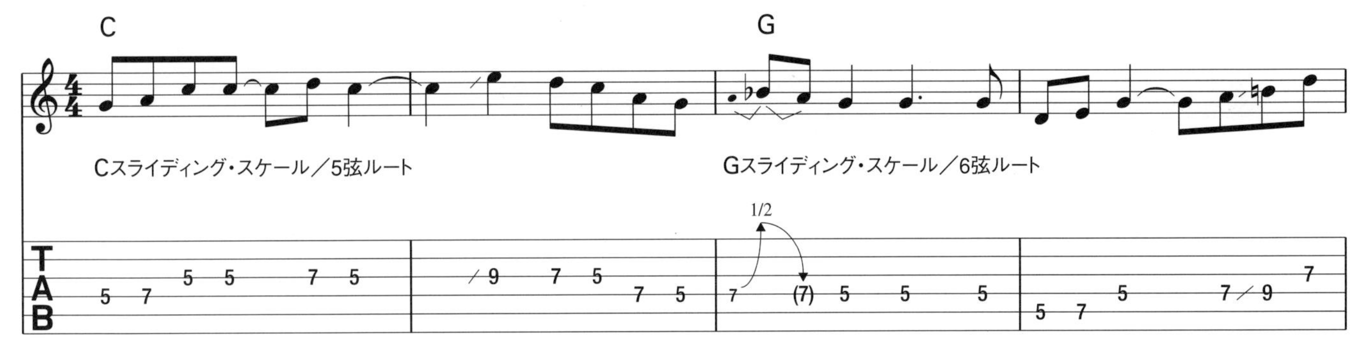

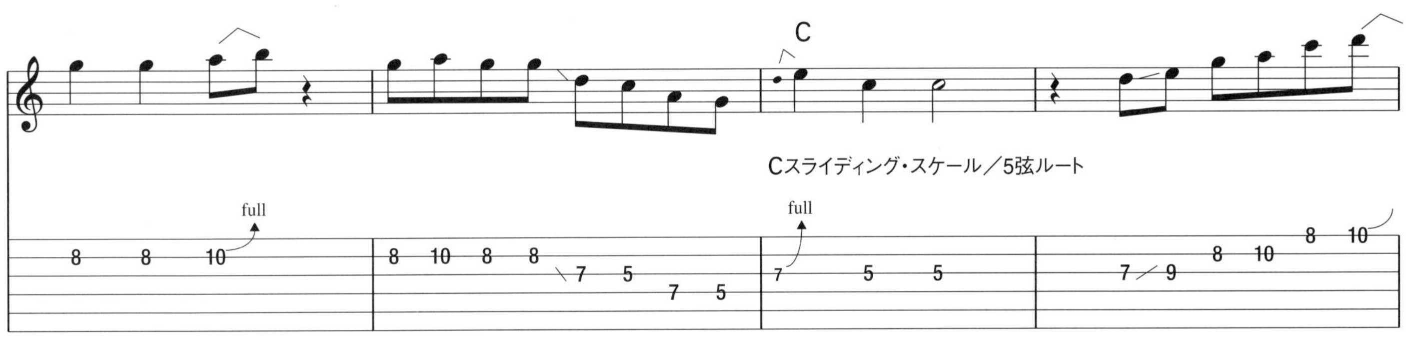

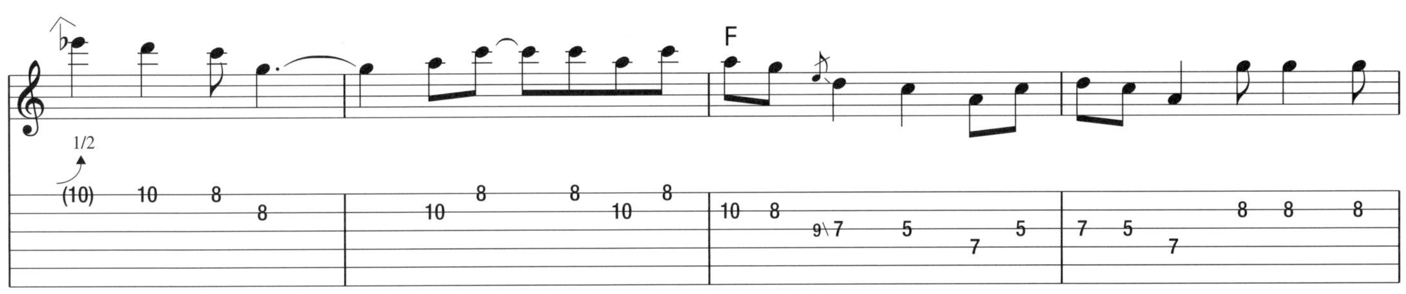

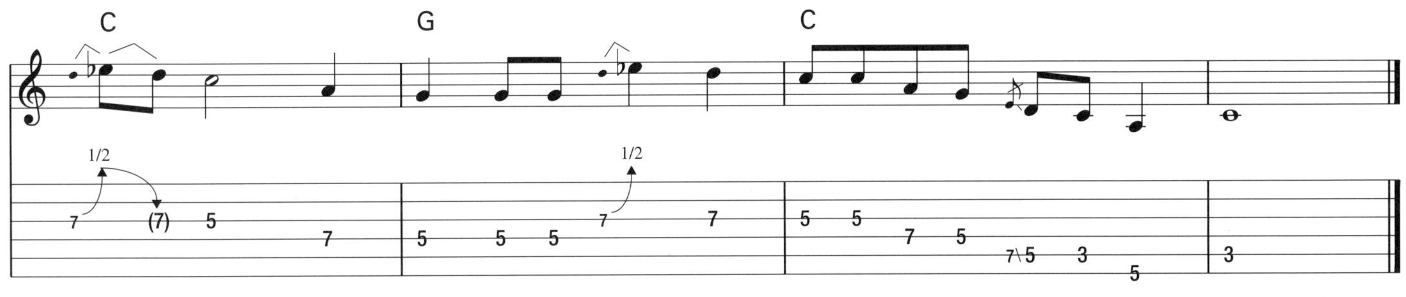

まとめ　ここで学んだこと…

●ソロにおける各キーの２つのスライディング・ペンタトニック・スケールの使い方

移動可能なダブル・ノート・リック
ソロに使える1弦と3弦のBlue Yodelリック

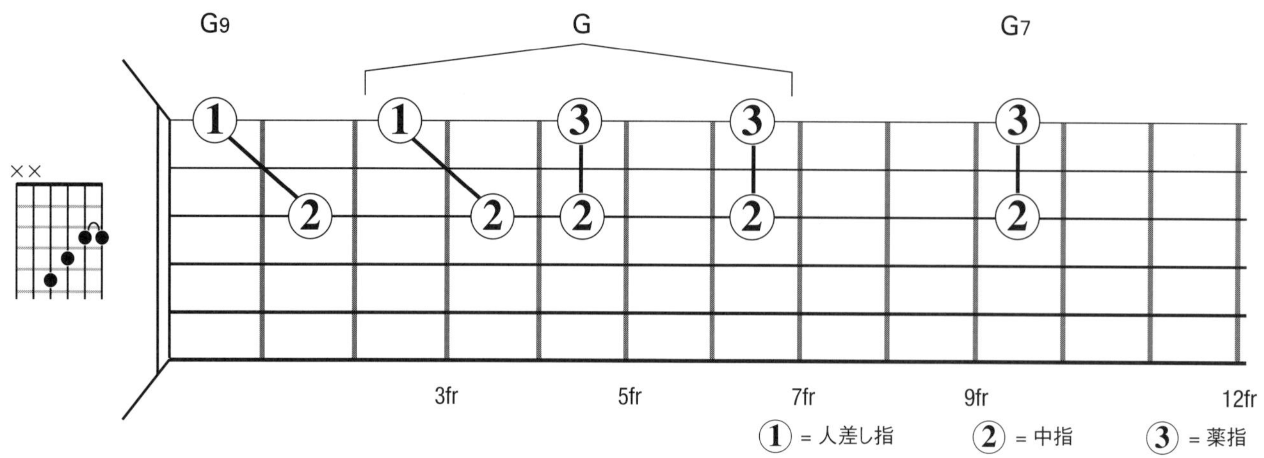

なぜ？

- この移動可能なダブル・ノートのパターンは、サウンドを広げる効果をもっています。これは、有名な**blue yodel**リックを含む、多くのリックやソロの基礎となっています。

どんなもの？

- **このリックはFフォームを基本にしています。**Gのリックをプレイするには、フレットを押さえる手を第5フレットのFフォームに置きます。
- **このロードマップから派生するダブル・ノート・リックは無数にあります。**これらは上行して下行、または下行して上行することもできます。下の譜例は、Gコードにおけるヴァリエーションの例です。

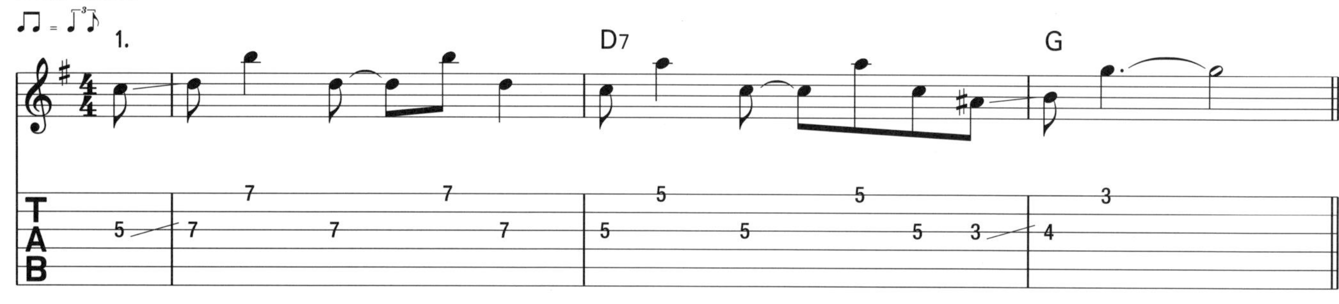

- **G9とG7（ROADMAP 11の両端のダブル・ノート）は、サウンドにヴァリエーションを提供してくれます。次ページの*やってみよう！*の例を参照しましょう。**

どのように？

- 曲のコード・チェンジとともにFフォームを変えます。Cコードでは、フレットを押さえる手を第8フレットのFフォーム（C）に置き、そこを基本にダブル・ノート・リックをプレイします。
- Fフォームからだけではなく、ROADMAP 11の5つのポジションのどのリックからでもスタートできます。

やってみよう！

- フィルとして、またはソロの中でダブル・ノート・リックを使ってみましょう。次のAmazing Graceのソロは、ROADMAP 5と6のコードに基づくソロを組み合わせたダブル・ノート・リックをフィーチュアしています。

Amazing Grace

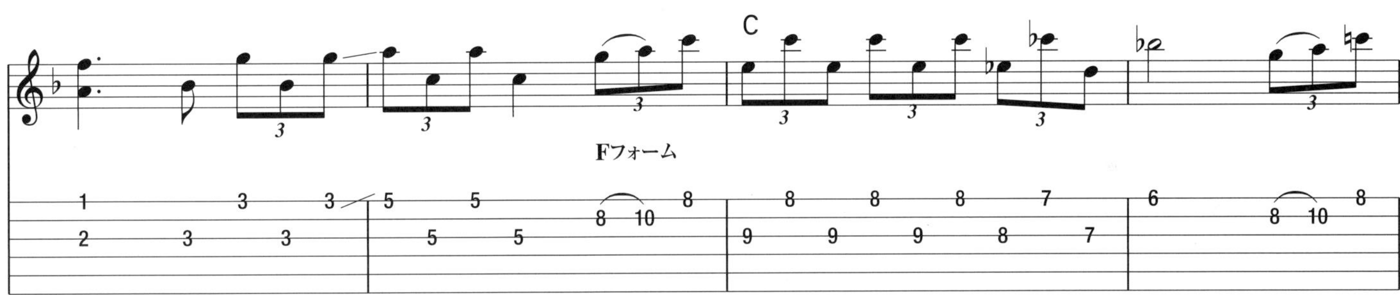

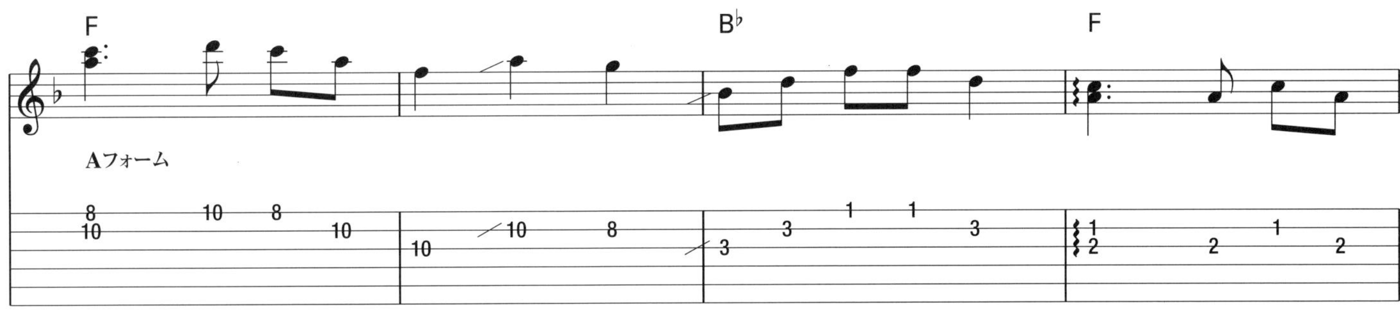

下のCorinne Corinnaは、ほとんどダブル・ノート・リックで成り立っています。7thと9thコードのポジション(楽譜とタブ譜を参照)が、どのように4度上のコードを導いているかに注意しましょう。すなわち、C9コードはFコードへと解決し、G7コードはCコードへ解決しています。

Corinne, Corinna

まとめ　ここで学んだこと…

- すべてのキーで、1弦と3弦のダブル・ノート・リックをソロやバッキングで使う方法
- blue yodelリックをプレイする方法
- 7thコードや9thコードが、4度上のコードへ解決すること

カポを使う
すべてのキーで第1ポジションのコードでプレイする方法

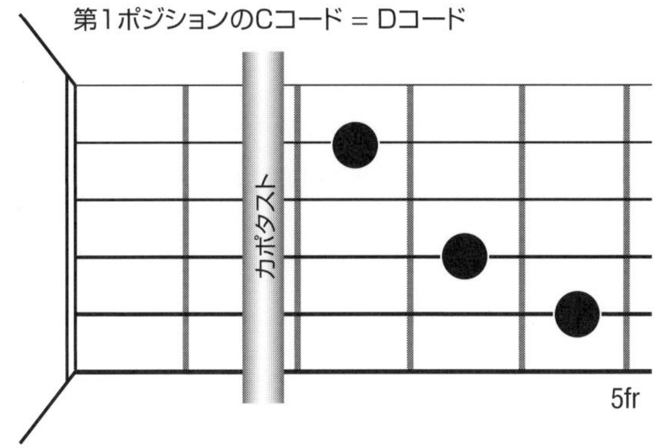

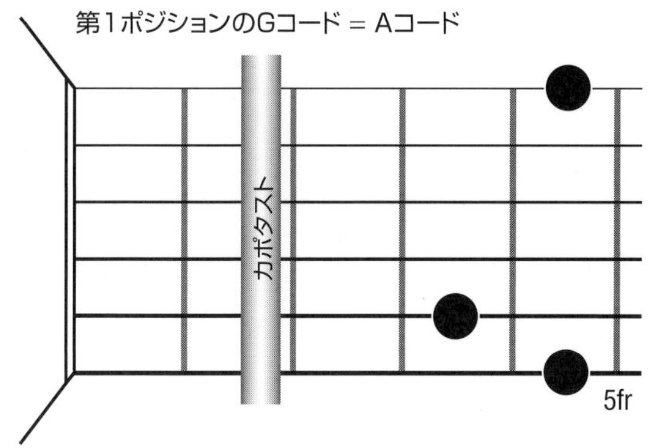

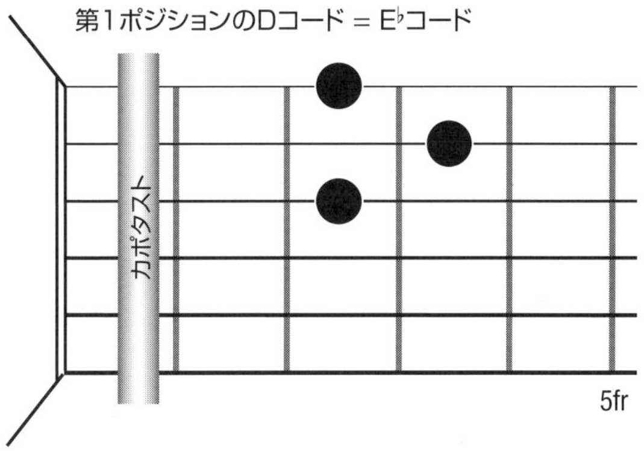

なぜ？

- フォーク、ブルーグラス·ギタリストは、開放弦を含むキー（C，G，D，A，E）において第1ポジションでプレイする傾向があります。なぜなら、開放弦のサウンドがその音楽の本質的な要素の1つであるからです。そしてカポは、すべてのキーでそのようにプレイすることを可能にしてくれるのです。
- あるアレンジのピッチ（キー）を上げるために、カポを使うこともできます。例えば、多くのトラディショナルなフィドル曲は、ヴァイオリンにとって簡単なキーDかAでプレイされますが、ギターでは、CやGの方がプレイしやすくなります。そこでカポを使えば、Cのアレンジをそのまま Dに上げ、また、GのアレンジをAに上げて、フィドル奏者と一緒にプレイすることができます。

どんなもの？

- ギタリストの中には、カポを使うことを邪道と考えている人もいますが、*Muddy Waters*，*Doc Watson*，*Chet Atkins*，*Bo Diddley*，*Keith Richards*，*Ry Cooder*，*Robert Johnson*，*Lester Flatt*、*Andres Segovia*などのような伝説的なプレイヤーの中にもカポを使用した人がたくさんいます。
- **カポをギターのネックに取り付けると、楽器のピッチが上がります**。カポを第1フレットにつけて第1ポジションのGコードをプレイすると、G♯コードの響きになります。また、カポを第2フレットにつけると、第1ポジョションのGコードはAコードの響きになります。
- **移動可能なコードはカポの影響を受けません**。第1フレットにカポをつけても、第3フレットのバレーのGコードはGコードには変わりありません。しかし、カポの3フレット上のバレーGコードは、G♯コードになります。

どのように？

- **E♭やBのような難しいキーでプレイするためには、アルファベットを1つか2つ分逆戻りして、その数の分だけ上げてカポをつけます。**
  - E♭をプレイするために、アルファベットを半音(1フレット)分戻り、Dにします。そして第1フレットにカポをつけ、Dコードをプレイすると E♭コードのサウンドになります。
  - E♭アレンジの他のすべてのコードも、半音戻ることになります。つまり、第1フレットにカポをつけた状態でA♭を得るには、Gコードをプレイし、B♭7を得るには、A7をプレイします。以下同様です。
  - アルファベットを音半(3フレット)分戻り、Cにすることもできます。そして第3フレットにカポをつけます。E♭コードはCとなり、A♭はF♭になります。以下同様です。

- **ギター・アレンジをさらに高いキーに移動するために、アルファベットをさらに逆戻りさせ、その分だけ上げてカポをつけます。**
  - フィドル曲のキーGのアレンジをキーAに移調(移動)するには、AはGの全音(2フレット)上なので、第2フレットにカポをつけます。
  - 曲のキーがCのアレンジのもので、あなたの声にはキーEの方が歌いやすい場合、EはCの2全音(4フレット)上なので、カポを第4フレットにつけます。

- 次のチャートは、すべてのキーにおけるカポの使い方を一覧にしたものです。あらゆる選択肢が見つかるでしょう。

プレイする曲のキー	カポをつけるフレット	プレイする第1ポジションのコード
A♭/G♯	1fr 4fr	G E
A	2fr 5fr	G E
B♭	1fr 3fr	A G
B	2fr 4fr	A G
C	3fr 5fr	A G
D♭/C♯	1fr 4fr	C A
D	2fr	C
E♭/D♯	1fr 3fr	D C
E	2fr 4fr	D C
F	1fr 3fr 5fr	E D C
G♭/F♯	2fr 4fr 6fr	E D C
G	3fr 7fr	E C

やってみよう！

- **以下のようなシチュエーションの時、問題を解決するためにカポを使うことができます。**

  - あなたはフィドル曲Sally *Goodin*をキーGで学びました。しかし、フィドル·プレイヤーの友人はそれをキーAでプレイします。彼と一緒にプレイするためには、どこにカポをつければよいでしょうか？ 前のページのチャートで分かるように、第2フレットにカポをつけ、Gのアレンジをプレイします。

  - ソング·ブックにあなたの好きな曲がキーE♭で書かれています。あなたはそのキーで歌うことはできますが、プレイしやすくするためには、どのようにカポを使えばよいのでしょうか？ 前ページのチャートで分かるように、カポを第3フレットにつけ、キーCでプレイします。つまり、E♭と書かれていれば、Cコードをプレイします。同様に、すべてのコードを本に書かれているものより3フレット下げます。A♭と書かれていればF、B♭と書かれていればG、というようにプレイすればよいのです。

  - あなたは、誰かのアルバムから曲を学ぼうとしています。アーティストはキーB♭でそれを歌っていますが、あなたの声には低すぎます。どうすればよいのでしょうか？ B♭より2フレット高いCでプレイするか、4フレット高いDでプレイすればよいのです。どちらもカポは必要ありません。

  - 同じアルバムのもう1つの曲はキーFで、あなたの声には高すぎます。どうすればよいでしょうか？ DはFより3フレット下なので、Cは5フレット下になります。もしあなたの声にDが合っているのなら、カポをつけずにDでプレイするか、第2フレットにカポをつけてCでプレイします。

まとめ　ここで学んだこと…

- **第1ポジションのコードで、すべてのキーでプレイするためにカポを使う方法**
- **ギター·アレンジのキーを上げるためにカポを使う方法**
- **あなた自身の声のキーに合わせたカポの使用法**

練習トラックの使い方

各ROADMAPでは、以下のたくさんのソロ·スタイルを解説しています。

- 第1ポジション·メジャー·スケール（ROADMAP 3）
- コード·フラグメント·リック（ROADMAP 5，ROADMAP 6）
- ブルース·ボックス（ROADMAP 9）
- 代理ブルース·ボックス（ROADMAP 9）
- スライディング·ペンタトニック·スケール（ROADMAP 10）
- 移動可能なメジャー·スケール（ROADMAP 7）
- 移動可能なダブル·ノート·メジャー·スケール（ROADMAP 8）
- もう1つの移動可能なダブル·ノート·リック（ROADMAP 11）

次の4つの練習トラックは、リード·ギターの演奏は、バンドの音とは分かれて、ステレオの片方のチャンネルに収録されています。つまり、リード·ギター·トラックのヴォリュームをしぼって、バンドのバッキングだけを聴きながら、ソロ·テクニックの練習ができるようになっています。もちろんリード·ギター·トラックを聴いて真似することもできます。

以下は、各トラックのソロのアイディアです。

38 Bury Me Beneath the Willow in G

このI-IV-I-Vの曲では、ソロは第1ポジションのGメジャー·スケールを使い、メロディーをプレイしています。コード進行の2回めと3回めのリピートでは、コード·フラグメント·リックに切り換えています。

39 Take This Hammer in E

ソロは、1回めでは多くのブルー·ノートとブルース·リックの入った第1ポジションのEメジャー·スケール·リックをプレイしています。2コーラスめは、ほとんどEとBのスライディング·スケール·リックで組み立てられています。3回めのソロは、1弦と3弦のダブル·ノート·リックを含んだコード·フラグメントに基づいています。

40 Wabash Cannonball in C

1回めのソロは、第1ポジションのCメジャー·スケールに基づいています。6小節の曲の2回め、3回めは、ソロは移動可能なメジャー·スケールで組み立てられています。3回めのソロは、ROADMAP 8のダブル·ノート·メジャー·スケール·リックをフィーチュアしています。

41 Chilly Winds in D

Lonesome Road Bluesとも呼ばれるこの古いフォーク曲では、メロディーを表現するために、1回めのソロは、第1ポジションのDメジャー·スケールを使っています。2回めのソロは、代理（キーB）による移動可能なブルース·スケールに基づいています。そして3回めは、移動可能なDブルース·スケールです。

ギターの記譜

ギターの記譜には、**1.** 5線譜、**2.** タブ譜、**3.** スラッシュ（／）で表すリズム譜の３つの方法があります。

リズム譜
５線の上に記され、指定されたリズムで弾く。コードのヴォイシングは楽譜の最初、または最後のページにダイアグラムで表示される。また、リズム・パートにシングル・ノートを加えて弾く場合は、リズム記号の上に音名をフレットと弦の番号とともに表記することもある。

5線譜
音程と音価を表し、小節を小節線によって分割する。音程はアルファベットの最初の7文字（C、D、E、F、G、A、B）で読む。

タブ譜（TAB）
フィンガーボードを視覚的に表したもの。それぞれの音とコードは、該当する弦に記されたフレット番号で、押さえる位置を示している。

奏法上の記譜と解説

半音ベンド
ピッキングの後、弦をベンドして半音（１フレット分）上げる。

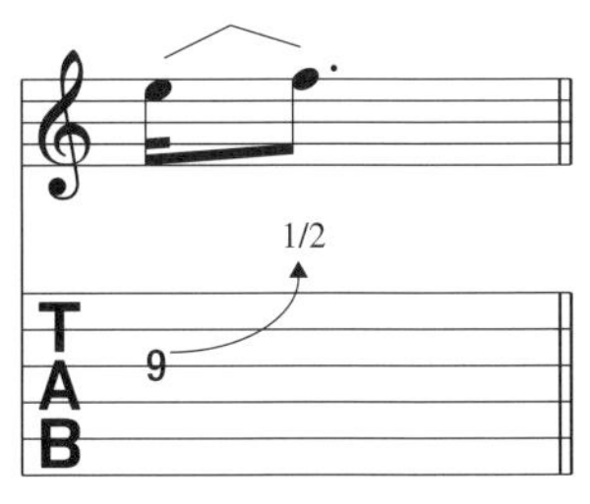

全音ベンド
ピッキングの後、弦をベンドして全音（２フレット分）上げる。

グレイス・ノート・ベンド
ピッキングの後、素早く指定された音まで弦をベンドする。

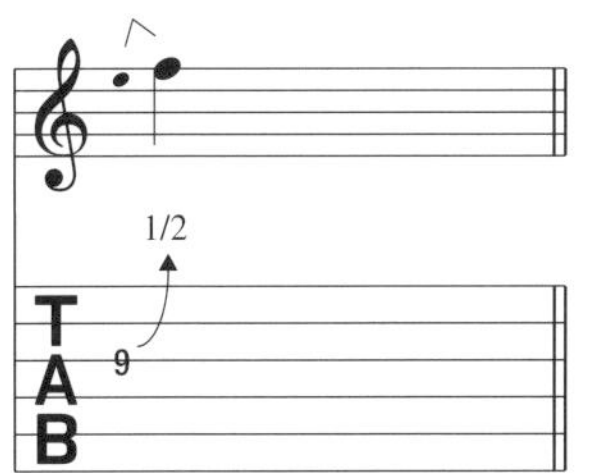

スライト・ベンド
ピッキングの後、弦をわずかにベンドして（１フレットの約半分）1/4音上げる。

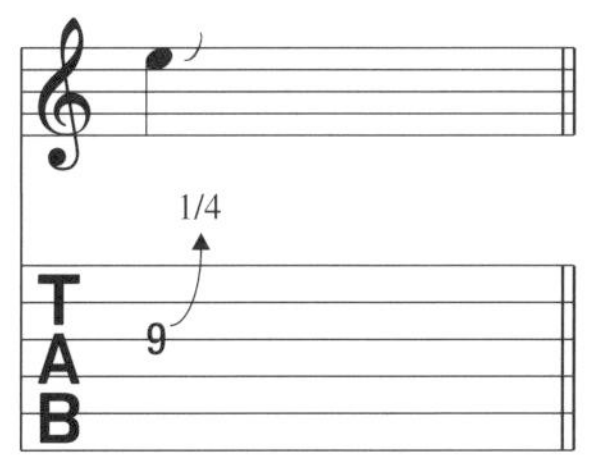

ベンド＆リリース
ピッキングの後、指定された音までベンドし、ふたたび元のピッチまでベンドをゆるめる。ピッキングするのは最初の音だけ。

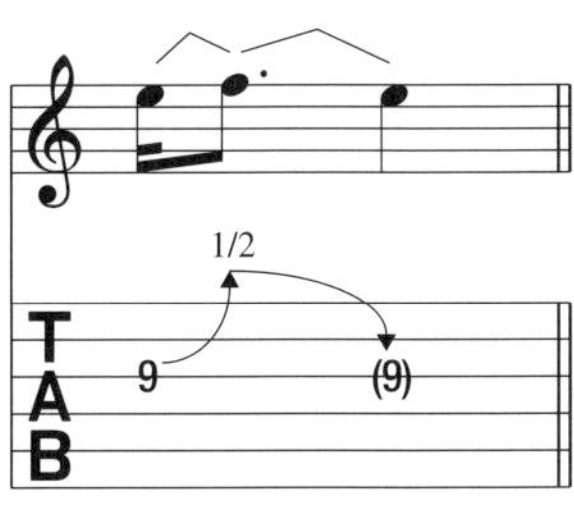

プリベンド
あらかじめ指定された音までベンドしておきピッキングする。

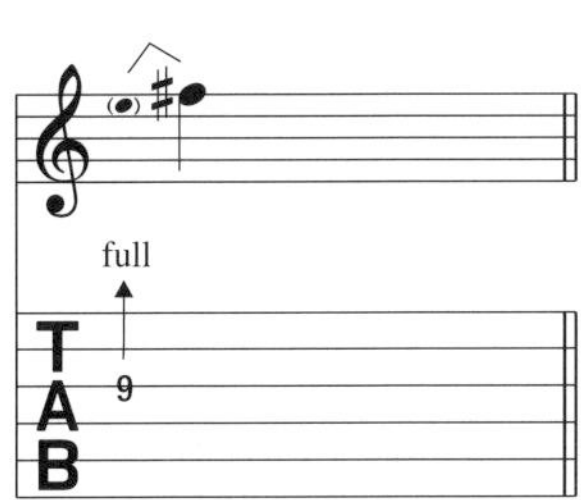

プリベンド＆リリース（リバース・ベンド）
指定された音までベンドしておいてからピッキングし、ベンドをゆるめて元のピッチに戻す。

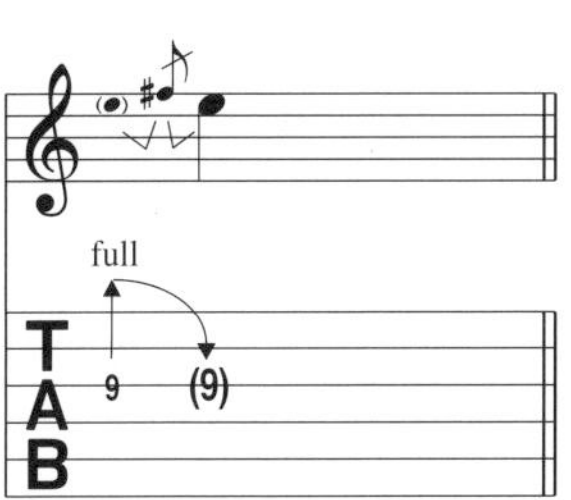

ユニゾン・ベンド
両方の音をピッキングし、素早く低い方の音を高い方の音と同じピッチになるまでベンドする。

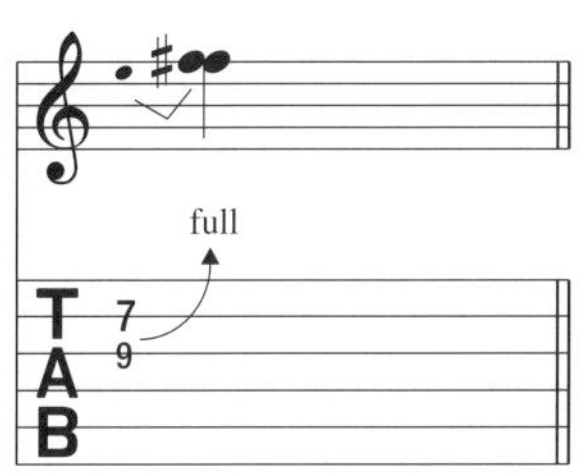

ヴィブラート
押弦している指、手首、腕などを使ってベンド&リリースを素早くくり返して、音を揺さぶる。

ワイド・ヴィブラート
通常のヴィブラートよりも、さらに大きく音を変化させる。

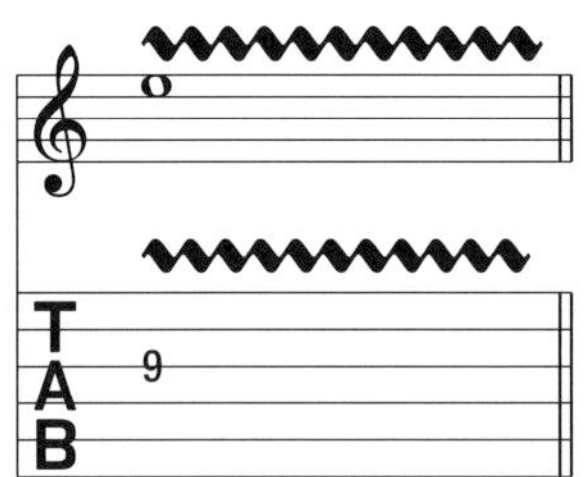

ハンマリング・オン
最初の音をピッキングした後、別の指で弦を叩くように高い方の音を出す。ピッキングするのは最初の音だけ。

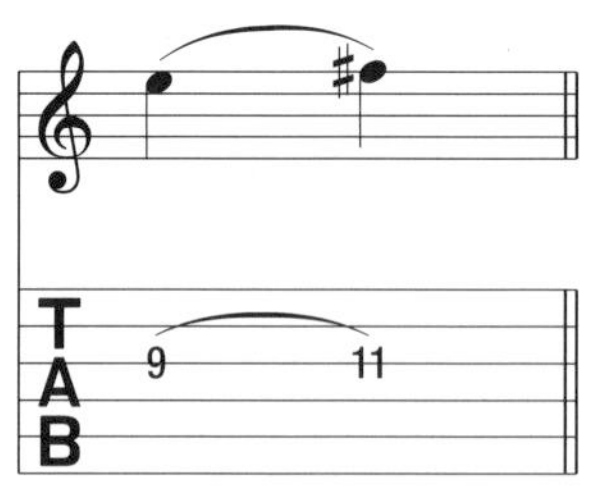

プリング・オフ
最初の音をピッキングした後、別の指で下方向へ弦をひっかくようにして低い方の音を出す。ピッキングするのは最初の音だけ。

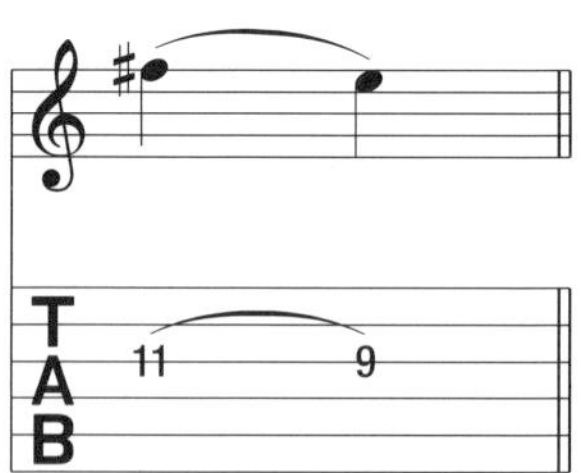

レガート・スライド
ピッキングした音から次の音まで、押さえた指を滑らせる。ピッキングするのは最初の音だけ。

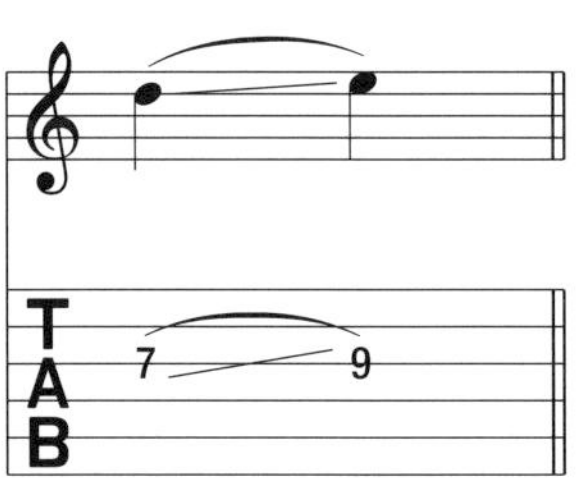
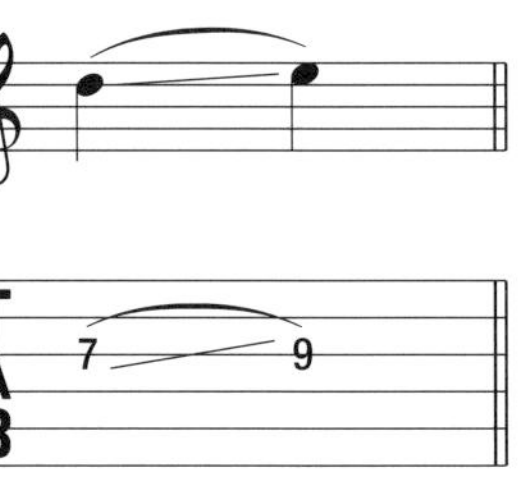

シフト・スライド
レガート・スライドと同じ方法だが、2つめの音もピッキングする。

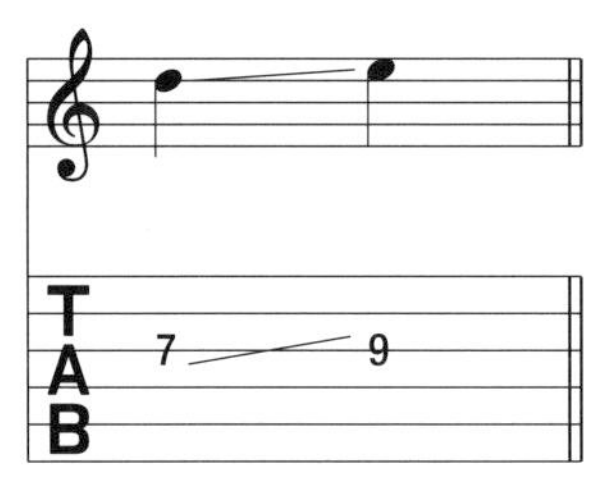

トリル
指定された音をハンマー・オンとプル・オフで、できるだけ速くくり返す。

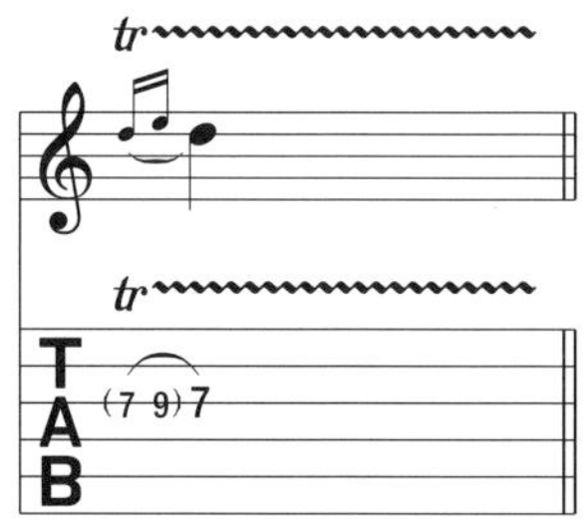

タッピング
+マークのついた音を右手の指で叩いて出し、フレットを押さえている音にプリング・オフする。

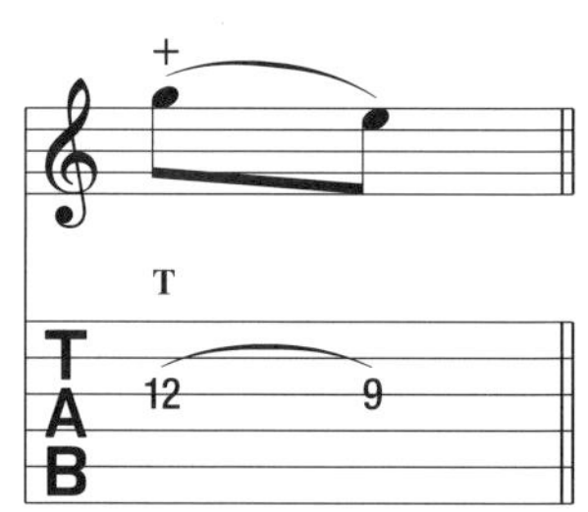

ナチュラル・ハーモニクス
タブ譜に指定された音のフレット上に指を軽くふれ、ピッキングする。

ピンチ・ハーモニクス
タブ譜に指定されたフレットを押さえ、ピックを持った手の親指の側面(または爪)または人差し指をピッキングと同時に弦にあてハーモニクスを得る。

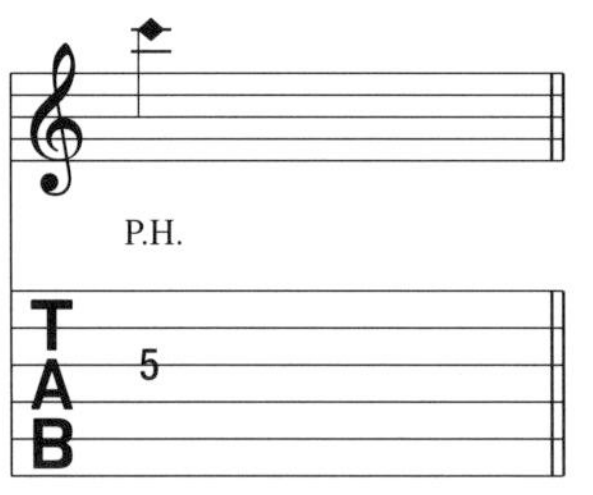

ハープ・ハーモニクス
タブ譜の最初の音を押さえ、2番めのフレット番号の位置にピッキングする手の人差し指などで軽く触れ、さらに別の指を使ってピッキングしてハーモニクスを得る。アーティフィシャル・ハーモニクスとも呼ぶ。

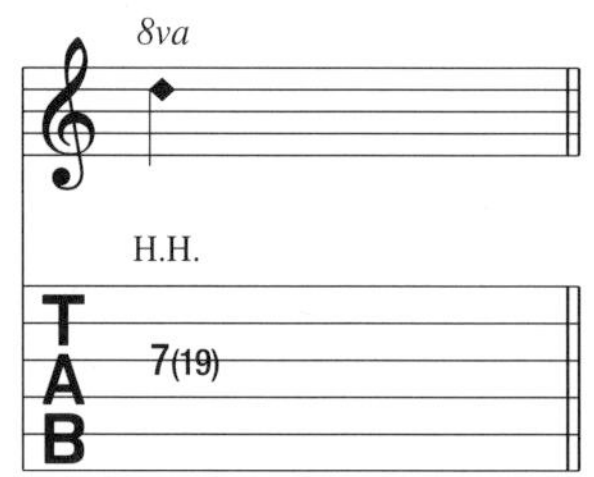

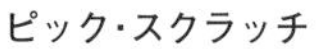

ピック・スクラッチ
ピックの側面を弦にあて、ネックを上行または下行してスクラッチ・サウンドを得る。

マッフル・ミュート
弦を押さえずに軽く触れ、指定された音域の弦をピッキングしてパーカッシヴなサウンドを得る。

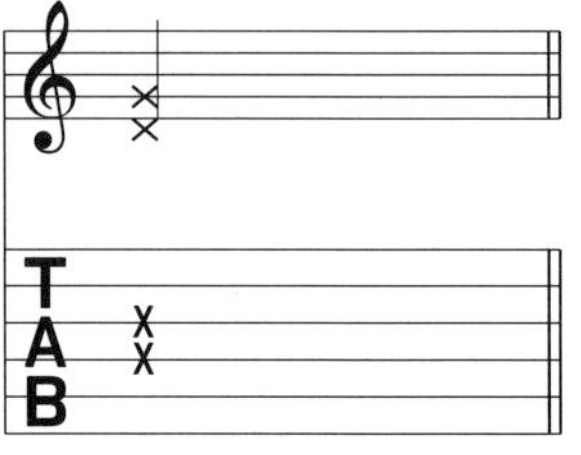

パーム・ミュート
ピックを持った掌の腹をブリッジ付近の弦に軽く触れた状態でピッキングし、弱音効果を得る。

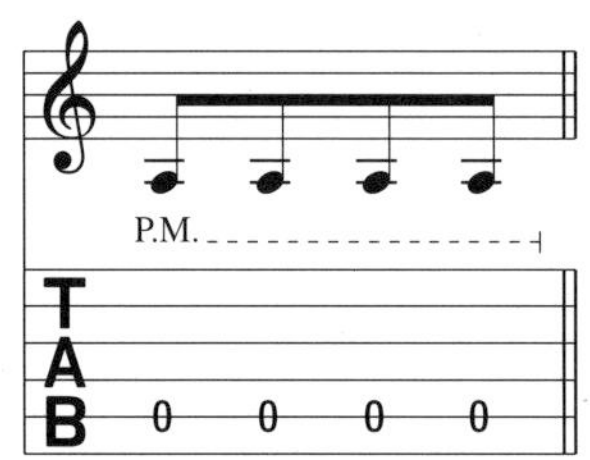

レイク
アルペジオの要領でミュートして上または下からピッキングし、最後の弦(目標の音)のみミュートしないで鳴らす。インターヴァルが指定されている場合もある。

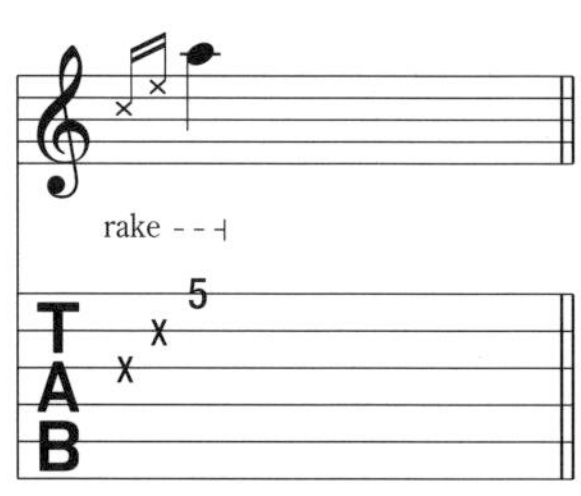

トレモロ・ピッキング
音符の長さ分だけ素早くピッキングをくり返す。

アルペジアート
指定されたコードを低い方から高い方へ弾きハープのように鳴らす。逆の場合もある。

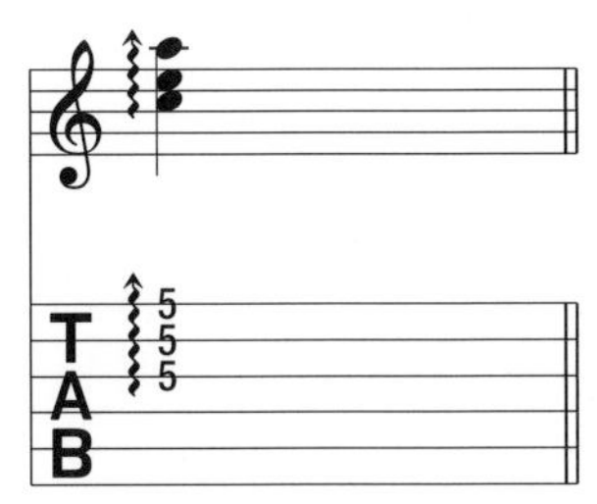

トレモロ・バー／ダイヴ&リターン奏法
押さえた音またはコードをトレモロ・バーを使って指定されたピッチに音を変化させる。

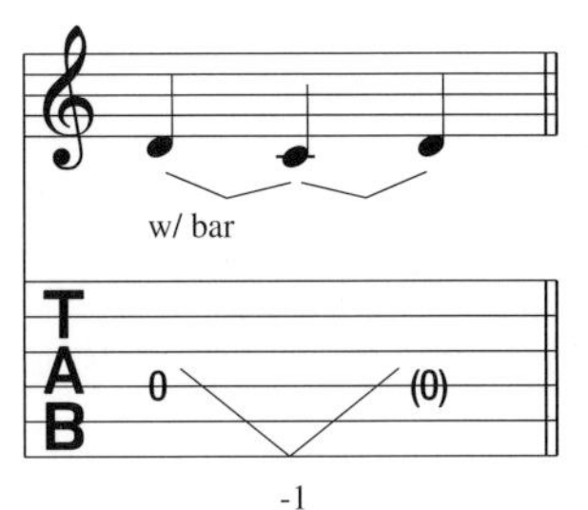

トレモロ・バー／スクープ奏法
トレモロ・バーをあらかじめ下げておいて、ピッキングと同時に素早くバーを戻す。

トレモロ・バー／ディップ奏法
ピッキングと同時にトレモロ・バーを使って指定された音程分を素早く下げすぐに戻す。

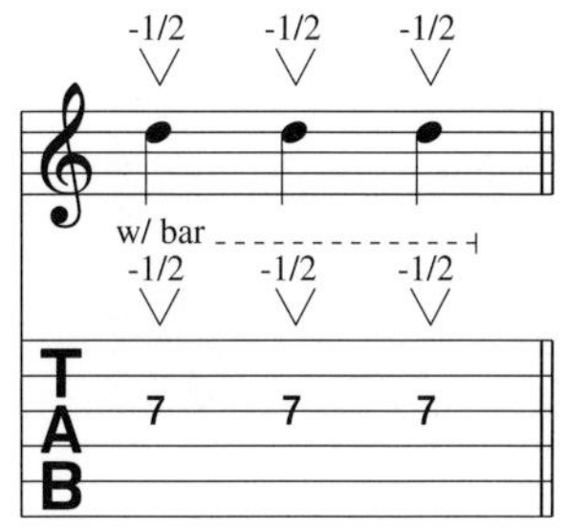

その他の表記

アクセント
強く演奏する。

マルカート
さらに強く演奏する。

スタッカート
音を短く切って演奏する。

⊓

ダウン・ストローク

V

アップ・ストローク

D.S. al Coda

ダル・セーニョ・アル・コーダ
５線の下部に記され、*D.S.*の部分からセーニョ・マーク（𝄋）のある小節まで戻り、コーダ・マーク（*to* 𝄌または*to Coda*）のついた小節からコーダ（𝄌または*Coda*）へ進む。

D.C. al Fine

ダ・カーポ・アル・フィーネ
５線の下部に記され、曲のアタマに戻り*Fine*で終わる。

Rhy. Fig.

リズム・フィギュア
おもにコードで演奏する小さな単位の伴奏パターン。

Riff

リフ
おもに単音で演奏するくり返しのパターン。

Fill

フィル
メロディーやリズムの隙間に、短いフレーズを入れること。オカズとも呼ぶ。

Rhy. Fill

リズム・フィル
コード演奏によるフィル。

tacet

タチェット
「静かに」の意味で、演奏を休止することを指示する。

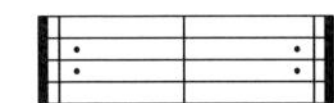

リピート・マーク
リピート・マークで囲まれた小節をくり返す。

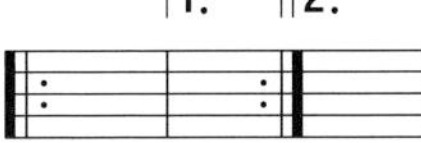

リピート・マーク
１回めは、１カッコを演奏し、リピートの後の２回めは１番カッコを跳ばし２番カッコへ進む。

定価［本体 3,800 円＋税］

スーパー・ギタリストから学ぶ

リズム・ギター／リックス《模範演奏 CD 付》

Masters of Rhythm Guitar

Joachim Vogel 著

本書は、現代のギタリストたちの本当の意味での手本となる、またはルーツとなる、優れたリズム・ワークを創り出したプレイヤーのテクニックとセンスを満載したリック集です。

ジャンルを越えた 22 人のスーパー・ギタリスト／それぞれ 10 のリックを収録（全 240 例）。

【掲載ギタリスト】

Chuck Berry ／ Charlie Byrd ／ Steve Cropper ／ David "The Edge" Evans ／ Jimi Hendrix ／ James Hetfield ／ Paul Jackson Jr.／ Albert Lee ／ Bob Marley ／ John Mclaughlin ／ Scotty Moore ／ Jimmy Nolen ／ Jimmy Page ／ Joe Pass ／ Prince ／ Keith Richards ／ Nile Rodgers ／ Steve Stevens ／ Andy Summers ／ Marle Travis ／ Eddie Van Halen ／ Malcom Young

模範演奏は著者による演奏で、オリジナル・アーティストの演奏ではありません

定価［本体 4,300 円＋税］

シングル・ラインの演奏を極める

ジャズ・ギター　ライン＆フレーズ《模範演奏 CD 付》

Complete Book of Jazz Guita Lines & Phrases

Sid Jacobs 著

私たちは模倣することによって、話し方を学びます。私たちは自分の考えを表現するために、すでに存在する言語を使います。すでに存在するイディオムからフレーズを用いて、連結させるという点において、インプロヴァイザーにとっても全く同じことが当てはまります。ラインを文章に、そしてインプロヴィゼイションを会話に置き換えれば、その過程を理解しやすくなります。

単語をつなげてフレーズにしていると、その人が会話をするスタイルが形成されます。したがって、より多くのヴォキャブラリーをもっていれば、それだけ自分を表現する手段が備わっていることになります。それと同様に、プレイヤーの音楽的フレーズをつなげ方が、その人のインプロヴィゼイションのスタイルを形成し、そしてより多くのヴォキャブラリーをもっていれば、それだけ自分を表現する手段が備わっていることになるのです。ジャズ言語のイディオム的フレーズは、他の音楽のそれとは異なっています。本書では、譜例をとおして、ジャズのラインとフレーズを創るために使われるアイディアを解説します。

インプロヴィゼイションは芸術（アート）です。自分のアイディアを明確に表現する能力は、技術（クラフト）です。自分のアイディアを創造的に即興的につなげる時、技術は芸術のレベルまで上がります。

自分のスピーチのパターンとフレージングを観察してみましょう。２つまたは３つの単語が、全く同じ音量で話されることはないことに気づくはずです。私が指摘したいのは、音楽において最初に学び、最初に忘れてしまうレッスンの１つであるダイナミクスを、会話で自然に使っているということです。上手な会話では、１つのアイディアからもう１つのアイディアへと自然に流れていきます。私たちは流ちょうさをもってアイディアをつなげます。ジャズ・インプロヴィゼイションにおいては、会話の話題はコード・チェンジや転調であり、演奏しているコードをメロディックに示唆し、どのような時でも、キー・センターにおける近くの使用可能なコード・トーンや音をスムースに連結する能力が必要とされます。

定価［本体 3,000 円＋税］

フィンガースタイル・ジャズ・ギター　ウォーキング・ベース・テクニック《模範演奏 CD 付》

Fingerstyle Jazz Guitar / Teaching Your Guitar to Walk

Paul Musso 著

ジョー・パス、タック・アンドレス、マーティン・テイラーをはじめとする、ソロ・ギターの名手の得意技、ウォーキング・ベース・テクニックをマスターする。

- ベース・ラインとコードをブレンドして、ひとり 2 役を演じる、ジャズ・ギターのもっとも魅力的な奏法の基礎を学ぶ
- 初めてこの奏法にチャレンジする人にも、エクササイズを順に練習していくだけで、自然に、また確実に習得できるようにプログラムされている
- 豊富なエクササイズと練習曲を、TAB 譜と CD で楽しくマスター
- ジャズ・ギタリストでないあなたにも、効果的に応用できる

ロベン・フォード　ブルース・ライン&リズム 《模範演奏&プレイ・アロングCD付・タブ譜付》

Robben Ford 著・演奏

定価［本体3,000円+税］

本書**ロベン・フォード／ブルース・ライン&リズム**は、REH Hotline SeriesのRobben Ford - BluesとRobben Ford - Rhythm Bluesの2冊を1冊にまとめた日本語版です。

本書は、ロベン・フォードの模範演奏と解説で、ブルースにおけるリードとリズムの2つの側面を学ぶたいへん興味深い内容になっています。

本書に含まれる要素

Part 1：ロベン・フォードの特徴的なブルース・フレーズの組み立て方とフィンガリングを探究する

クラシック・ブルース・リックとメロディック・アイディア
ハンマリング・オン、プリング・オフ、スライド、ベンド、ダブル・ストップなどのブルース・ギターをプレイする上で欠かせないテクニック
テーマの発展、イヤー・トレーニング、セオリー
ディミニッシュ、ホールトーン、ペンタトニックなど、ブルース進行における効果的なスケールの使い方

Part 2：ロベン・フォードの特徴的な、コード・ヴォイシングとドライヴするリズム・パターンによるすばらしいコンピング・テクニックを探究する

ファンキー・ブルース、シャッフル・ブルース、スロー・ブルースにおけるコンピング
2音または3音のヴォイシングによるコンピング・テクニック
13th、♯5♯9、ディミニッシュなどの、ギター特有のコード・ヴォイシングによるコンピング・テクニック
スライディング6th（6度のインターヴァルのダブルストップによるスライド・テクニック）
イントロとエンディング・パターン
パッシング・コードとヴォイス・リーディング
7thコードの異なるヴォイシング

コーネル・デュプリー　リズム&ブルース・ギター 《模範演奏&プレイ・アロングCD付・タブ譜付》

Rhythm & Blues Guitar　*Cornell Dupree* 著・演奏

定価［本体2,800円+税］

*King Curtis*のバンドを経て、何千というセッションをこなしながら、伝説のインストゥルメンタル・リズム&ブルース/フュージョン・バンド***STUFF***を結成し、*Eric Gale*とともに、実にクールなギターをプレイする*Cornell Dupree*。

彼が歩んできた道のりを、リズム&ブルースの返還とともに詳細に解説。*King Curtis*、*Jimi Hendrix*、*Billy Butler*、*Big Joe Turner*、*Ray Sharpe*、*Bobby Womack*、*Sam Cooke*、*Jerry Wexler*、*Steve Cropper*、*Ike Turner*、*Eric Gale*、*James Jamerson*、*Lloyd Price*、*Wilson Picket*、*Brook Benton*、*Duan Allman*、*Freddie King*、*Joe Cocker*、*Jerry Jemmott*、*Bernard Purdie*、*Tom Jones*、*Harry Belafonte*、*Lena Horn*、*Sarah Vaughan*、*Barbra Streisand*、*Mariah Carey*など、彼のセッション・ワークの数々を*Cornell*自ら回想、語ってくれる。

ジャンルを越えて、今もなおひっぱりだこのセッション・ギタリスト*Cornell Dupree*が、自らプレイし解説してくれる本書は、リズム&ブルース・ギターのスタイルとテクニックを身につけることができる最高のメソッド。全10曲／TAB譜付。

インプロヴィゼイションが向上する50の方法

アメイジング・フレイジング　ギター 《模範演奏CD付・タブ譜付》

Amazing Phrasing Guitar　*Tom Kolb* 著・演奏

定価［本体3,200円+税］

本書では、バランスのとれたリズミック、そしてメロディック・フレーズを創るために必要となる、すべての大切な構成要素を探求します。また、これらのフレーズを組み合わせて1つのソロを形成する方法についても解説します。ロック、ブルース、ジャズ、フュージョン、カントリー、ラテン、ファンクなど、たくさんのスタイルを取り上げ、すべてのコンセプトを具体的なソロの譜例によって明示しています。

本書のマテリアルは、中級から上級者向けに、50のアイディアとしてまとめられ、大きく5つのセクションに分けられています。オープニングのベーシックのセクションでは、フレーズやソロに活力を与えるための大切な基礎でありながら、忘れてしまいがちなテクニックを網羅します。2つめのメロディック・コンセプトでは、メロディック・フレージングのさまざまな方法を探求します。ハーモニーの装飾のセクションでは、ハーモニック・インターヴァル（ダイアド）、コード、コード・パーシャル（コードの部分的な使用）をメロディックに使用する可能性について検証します。

リズミック・コンセプトでは、リズミック・フレージングのさまざまなコンセプトを取り上げ、それらをメロディックなソロにどのように結びつけるかについて探求します。最終章のソロ・ストラクチュア（ソロの構成）では、1つの大きな絵を完成させるために、本書で取り上げたすべてのトピックをまとめます。

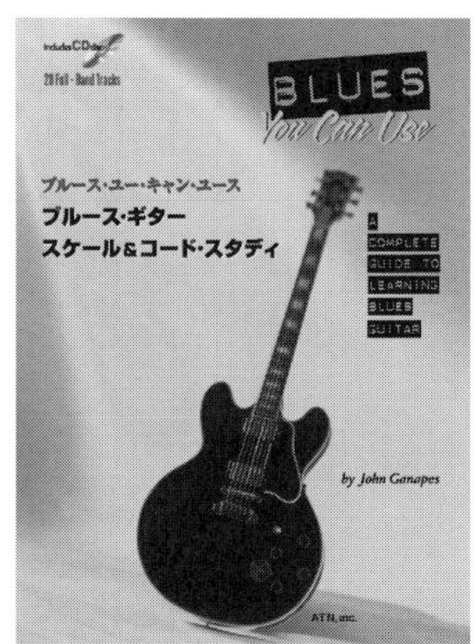

定価［本体3,300円+税］

ブルース・ユー・キャン・ユース
ブルース・ギター　スケール&コード・スタディ

Blues You Can Use　《模範演奏 CD/タブ譜付》

John Ganapes 著

ブルースのフレーズを弾きながら、スケール、コード、コード進行、リズムなどのテクニックや理論を学ぶ
さまざまなスタイルのブルースが、各曲ごとに明確なテーマをもち、高品質なソロをレベル的に無理なく弾け、マスターできたときの充実感も抜群
初・中級者の独習、ギター教室での使用に最適
ここさえ押さえればばっちりという、ブルース・ギターのツボを満載

すべてのセクションに用意されているマテリアルは、1つまたは2つのキーで用意され、ほとんどがフィンガーボード全体を使った練習になっています。

付属のCDには、すべての練習曲がバンド演奏とともに収められ、練習曲によっては、ノーマル・テンポに加え、スロー・テンポのヴァージョンも収録されており、速いパッセージでも1つひとつの音がよく聴きとれるようになっています。

Lesson 1：マイナー・ペンタトニック・スケール　Lesson 2：移動可能なスケールとコード　Lesson 3：クィック・チェンジ進行　Lesson 4：パターンの連結　Lesson 5：スプレッド・リズム　Lesson 6：サークル・オブ5th　Lesson 7：9thコードの導入　Lesson 8：すべてのパターンの連結　Lesson 9：フィンガーボード全体を使ったスケールの練習　Lesson 10：広範囲なスケール演奏とオルタネート・ピッキング　Lesson 11：スケール・セオリー　Lesson 12：メジャー・ペンタトニック・スケール　Lesson 13：メジャー・ペンタトニックとマイナー・ペンタトニックの組み合わせ　Lesson 14：パッシング・コードと13thの使用　Lesson 15：2本の弦の組み合わせで弾くスケール　Lesson 16：隣り合うスケール・パターン間の移動　Lesson 17：弦をスキップするスケール演奏　Lesson 18：マイナー・スケールとコード・フォームの組み合わせ　Lesson 19：メジャー・スケールとコード・フォームの組み合わせ　Lesson 20：スピードの加速　Lesson 21：スケール・パターンの使用法

定価［本体3,300円+税］

ブルース・ギター　リード&リズム・スタディ

《模範演奏 CD/タブ譜付》

More Blues You Can Use

John Ganapes 著

ブルース・ギターのテクニックを完璧にマスターする究極のメソッド
本格的なブルース・フレーズ満載
スケール、アルペジオ、シングル・トーン・テクニック、コード、コード進行、リズム・ギター・スタイル、リード・ギター・スタディ

すべてのセクションに用意されているマテリアルは、1つまたは2つのキーで用意され、ほとんどがフィンガーボード全体を使った練習になっています。

付属のCDには、すべての練習曲がバンド演奏とともに収められ、左チャンネルにリード・ギターを、右チャンネルにリズム・ギターを配置し、バランス・コントロールを使うことで、プレイ・アロング（マイナス・ワン）として自由に活用できます。

Lesson 1：ペンタトニック・スケール　Lesson 2：ブルースのラン　Lesson 3：ワン・ポジションで弾くラン　Lesson 4：1本の弦と2本の弦を使用するペンタトニック・スケール　Lesson 5：ベンディング・テクニック　Lesson 6：単弦のトレモロ、ペダル・トーン、弦のスキップ　Lesson 7：フィンガーボード全体の3度のインターヴァル　Lesson 8：フィンガーボード全体の6度のインターヴァル　Lesson 9：ドミナント7thのアルペジオ　Lesson 10：マイナー7thのアルペジオ　Lesson 11：左手のテクニック、スケール・トーンとアルペジオ・ノートへのクロマブティック・アプローチ　Lesson 12：上行と下行のレイキング　Lesson 13：バタフライ・ヴィブラートとクラシック・スタイル・ヴィブラート

定価［本体2,800円+税］

ブルース・ギター　リックス　《模範演奏 CD/タブ譜付》

Blues Licks You Can Use

John Ganapes 著

75例におよぶ、クールなブルース・ギターのリックを掲載
付属のCDでは、各リックの模範演奏をノーマル・テンポとスロー・テンポで収録
仕上げに、掲載のリックを組み合わせたり、自分のリックを創り、アイディアを組み立てられるよう、各種の12小節ブルースのバックグラウンド（マイナス・ワン）を収録

Section 1：Groovin' Easy～C Dominant 12-Bar Quickchange～スロー・ブルース　Section 2：Up-Tempo Bounce～Shuffle Progression in A～シャツフル・スウイング　Section 3：Rockin' It Up～Rockin' Blues Progression～ホット・ブルース・ロック　Section 4：A Bit of Flash～Another Slow Blues～スロー・ブルース　Section 5：A Taste of Jazz～12-Bar Shuffle in F～ジャズ・フィール・シャツフル

ブルース・ギター／パワー・トリオ・ブルース

Power Trio Blues Guitar 《模範演奏 CD/タブ譜付》

Dave Rubin 著

ブルース・ギター／パワー・トリオ・ブルースは、ベースとドラムを伴ったトリオにおけるエレクトリック・ギターの演奏スタイルを採り上げます。完全な、そしてエキサイティングなブルースのためのブギー、シャッフル、そしてスロー・ブルースのリズム、リック、ダブル・ストップ、コード、そしてベース・パターンが紹介されています。*Smokin' Power Trio* による演奏を収録したCDは、解説のみならず、一緒にジャムをするためのものです。

シカゴとテキサスのブルース・マンたちの音楽スタイルが、彼らと彼らの愛器の貴重な写真とともに紹介されています。

主なスタイル：ウエスト・サイド・ブルース、サウスサイド・ブルース、テキサス・ブルース

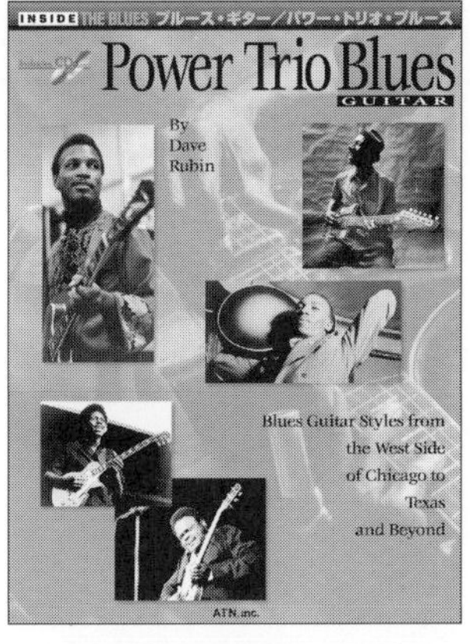

定価［本体3,000円＋税］

ブルース・ギター／アート・オブ・シャッフル

Art of the SHUFFLE for Guitar 《模範演奏 CD/タブ譜付》

Dave Rubin 著

ブルース・ギター／アート・オブ・ザ・シャッフルは、1800年代終わりから1940年代終わりまでのシャッフル、ブギー、スウィングのリズムのルーツをたどります。デルタ、カントリー、シカゴ、カンサス・シティ、テキサス、ニューオリンズ、ウェスト・コースト、そしてビバップといったスタイルを、たくさんの楽曲例とともに深く探求します。付属のCDには、完全なリズム・セクション（ギター、ベース、ドラム）による各Exampleの実演が収められています。楽譜とタブ譜、そして20以上の貴重な写真も掲載されています。

主なスタイル：デルタ、カントリー、シカゴ・ブルース、カンサス・シティ・ブルース、テキサス・ブルース、ニューオリンズ・ブルース、ウエスト・コースト・ブルース、ビバップ・ブルース

定価［本体3,000円＋税］

ブルース・ギター／バース・オブ・グルーヴ

Birth of the Groove 《模範演奏 CD/タブ譜付》

Dave Rubin 著

ブルース・ギター／バース・オブ・グルーヴは、1945年から1965年にかけて、アメリカの音楽シーンに革新的で興味深い変動が起きました。ブルースとスウィング・ジャズの影響で生まれたその新しい音楽はリズム＆ブルースと呼ばれ、ロックンロールはいうまでもなく、ソウル音楽の発展に取って代わりました。ブルースとスウィング・ジャズというふたつのジャンルを結びつけたものは、ビートの強調もしくはノリのいいメロディでした。ファンク独特の切り裂くようなワン・コードのカッティングに絶頂期を迎えようとしていました。このようにして、戦後を代表する何人かの偉大なギタリストたちは、次々にヒットを飛ばして新境地を探求しました。

本書は、リズム＆ブルース、ファンクのグルーヴとテクニックを代表的なギタリストのバイオグラフィーとともに解説しています。

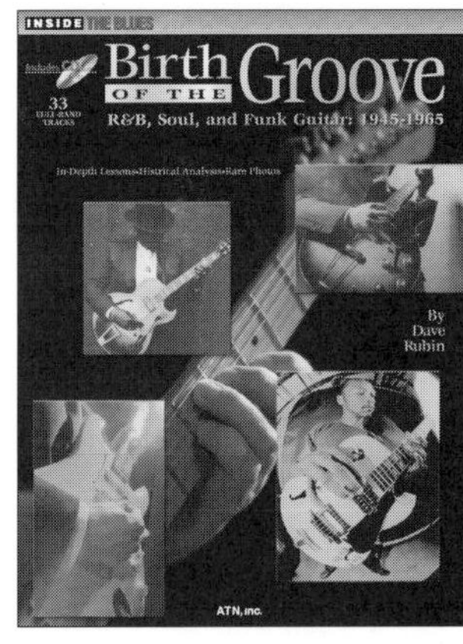

定価［本体3,300円＋税］

ブルース・ギター／12バー・ブルース《模範演奏 CD/タブ譜付》

12-Bar Blues / The Complete Guide for Guitar

Dave Rubin 著

今や12小節ブルースということばは、ブルース・ミュージックと同じ意味になり、ジャズ、ロックンロール、ポピュラー・ミュージックの基本になっています。本書と付属のCDには、24のフルバンド・トラックを含み、さまざまなブルース・スタイルの演奏が学習でき、12小節ブルースの王道をプレイするために必要なすべてのテクニックを用意しました。

本書は、12小節ブルースの起源からその歴史を解説してあり、ブルースの資料本としても必読の１冊です。

定価［本体3,000円＋税］

定価［本体 3,500 円＋税］

ジャズ・ギター/ブルース・ライン《模範演奏 2CD 付》

JAMMIN' THE BLUES

Frank Vignola 著・演奏

ファンキー、ブルージー、バップなどのさまざまなスタイルのブルース進行を 32 曲タップリと CD 2 枚に収録。各曲は、2 種類のテンポで録音されているので、スロー・テンポを使えばビギナーでもタブ譜を見ながら確実にマスターできる。

ジャズ・ギター/リズム・チェンジ《模範演奏 2CD 付》

RHYTHM CHANGES

Frank Vignola 著・演奏

ジャズにおいてブルース進行の次に最も多く使われるコード進行（I-vi-ii-V）であるリズム・チェンジをさまざまなキーで 30 曲タップリと CD 2 枚に収録。リズム・チェンジに慣れておけば、どんな進行の曲に遭遇しても戸惑うことなくプレイできるでしょう。

定価［本体 3,500 円＋税］

スタンダード進行で弾く ジャズ・ギター・ソロ《模範演奏 CD 付》

JAZZ SOLOS / IMPROVISED SOLOS OVER STANDARD PROGRESSIONS

Frank Vignola 著・演奏

有名なジャズ・スタンダードのコード進行上でのインプロヴィゼイション・ソロための練習素材。付属の CD では、著者 *Frank Vignola* によるギター・コンピングをバックグラウンドに、さまざまなスタイルのインプロヴァイジング・ソロの模範演奏を収録。

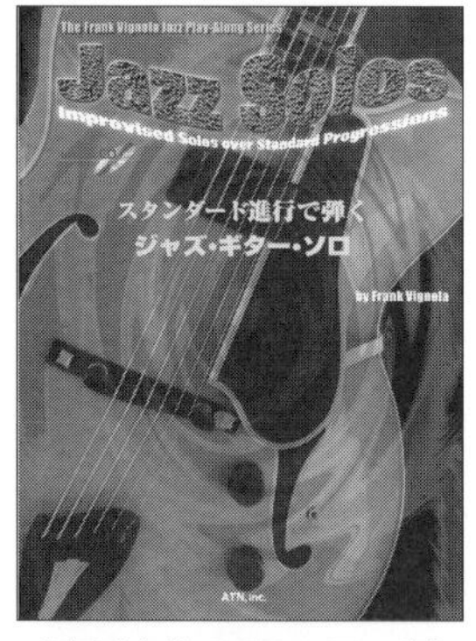

定価［本体 2,800 円＋税］

J. S. バッハ・フォー・エレクトリック・ギター《模範演奏 CD 付》

J.S. BACH FOR ELECTRIC GUITAR

John Kiefer 著・演奏

J.S.バッハ　それは現代に至ってもなお、ミュージシャンにとって無縁でいられない偉大な存在
すべてのギタリスト必携のバッハ名曲集

- バッハの芸術を体験し、演奏テクニック（ライト・ハンド、ピックと指のコンビネーション、右手と左手のコンビネーションなど）、イヤー・トレーニング、フレージングなどの効果的な練習ができる
- イングヴェイ・マルムスティーン、ランディ・ローズ、リッチー・ブラックモアなども学んだバッハを弾いて、作曲やインプロヴィゼイションのスキル・アップをしよう
- ギタリストにとって、バッハはとっておきの練習材料になる
- 全曲 TAB 譜付

定価［本体 2,500 円＋税］

ホールトーン・スケールで弾く

ジャズ・ギター・リックス《模範演奏 CD 付》

JAZZ GUITAR LICKS IN TABLATURE

Jay Umble 著・演奏

パット・マルティーノやスティーヴ・カーンも推薦する、本書ジャズ・ギター・リックスは、フレットボードに隠されたホールトーン・スケールの美しさを理解し、今までにないホールトーンのアイディアとその応用を紹介している。

- ドミナント $7\text{th}^{(\flat5)}$ とドミナント $7\text{th}^{(\sharp5)}$ のコード上で弾くといった、ホールトーン・スケールの今までの使い方から抜け出るには、モダンなインプロヴァイズへのまったく新しい道へ心を開くこと。本書では、インプロヴィゼイションの幅を拡げるのに役立つホールトーンのコンセプトをタップリ収録。
- ホールトーン・スケールは、全音だけでなり立つスケールで、そのため、フレットボード上で探すことが容易にできる。しかし、実際は均一で密集しているので、ギターでホールトーン・パターンを弾くのは時どき混乱することがある。本書はそんな悩みを一気に解決してくれる。
- 本書の焦点は、フュージョン・スタイルのインプロヴィゼイションに基礎を置いている。また、これらのフレーズは、スタンダード・チューンによくマッチする。
- 1 小節から 2 小節の短いフレーズから始め、それをつなぎ合わせてオリジナルのリックを創る。
- CD には、本書に掲載の 162 例を限界まで収録（75 分）。リックの宝庫として十分に活用できる。

定価［本体 3,000 円＋税］

ブルース・ソロ・フォー・ギター《模範演奏＆プレイ・アロングCD付》

Blues Solos for Guitar　*Keith Wyatt* 著　*Keith Wyatt* (guitar), *Tim Emmons* (bass), *Jack Dukes* (drums) 演奏

達人たちのソロ・コンセプトを、このユニークなCD付きの本書で研究してみよう！

フル・バンドのデモ演奏とリズムのみのトラックが収録されたCD・*Albert King*、*Albert Collins*、*B.B. King*、*Jimi Hendrix*、*Eric Clapton*、*Stevie Ray Vaughan*、*Steve Cropper*、*Freddie King*、*Lonnie Mack*、*T-Bone Walker*、*Gatemouth Brown*、*Wayne Bennett*、*Pee Wee Crayton*、*Chuck Berry*、*Scotty Moore*、*Carl Perkins*、*Brian Setzer*のギター・スタイル・フレーズごとに演奏方法を解説・ベンディング、ヴィブラート、トーン、ノート・セレクション（音の選択）、その他のヒント　他・一般的な記譜とタブ譜

定価［本体3,300円＋税］

ジャズ・コード・コネクション・フォー・ギター《模範演奏CD付》

Jazz Chord Connection　*Dave Eastlee* 著・演奏

体系的なアプローチでフィンガーボード上のハーモニーを理解する

Dave Eastlee によるこのすばらしいCD付教則本は、知っておくべきジャズ・ギター・ヴォイシングを紹介するだけでなく、一般的なコード・プログレッションにおいてそれがどのように使われるかという理論的な解説をしている

56のデモ・トラックが収録されたCD・一般的なフィンガリングとヴォイス・リーディング・一般的なジャズ・コード・プログレッション・トライトーン・サブスティテューション、ターンアラウンド、ディミニッシュの法則・その他の重要なジャズ・コンピングのヒント

定価［本体2,200円＋税］

ジャズ・インプロヴィゼイション・フォー・ギター《模範演奏CD付》

Jazz Improvisation for Guitar　*Les Wise* 著・演奏

メロディックなソロをするための創造性に富んだサブスティテューションの原則

Les Wise によるこのすばらしい本とCDが、個々のスケールとアルペジオを継続性とリスナーの興味を保つメロディックなジャズ・ソロに変えてくれる！

付属CDには、35のデモ・トラックを収録・テンションと解決・メジャー・スケール、メロディック・マイナー・スケール、ハーモニック・マイナー・スケール・一般的なリックとサブスティテューション・テクニック・オルタード・テンションを創る・一般的な記譜とタブ譜

定価［本体2,200円＋税］

ジャズ／ロック・ソロ・フォー・ギター《模範演奏＆プレイ・アロングCD付》

Jazz-Rock Solos for Guitar　*Norman Brown, Steve Freeman, Doug Perkins* 共著・演奏

達人たちのソロ・コンセプトを、このユニークなCD付きの本書で研究してみよう！

フル・バンドのデモ演奏とリズムのみのトラックを収録したCD・*John Abercrombie*、*George Benson*、*Larry Carlton*、*Robben Ford*、*Pat Metheny*、*John Scofield*、*Mike Stern*、*Berney Kessel*、*Wes Montgomery*のギター・スタイルをフレーズごとに解説・トライアドを使ってインプロヴァイズする方法、ブルース・フュージョン、静止したコードやヴァンプのためのライン、アトモスフェリック・ジャズ、ダブル・ストップを使ったインプロヴィゼイション、他・一般的な記譜とタブ譜

定価［本体2,200円＋税］

コード／メロディ・フレーズ・フォー・ギター《模範演奏CD付》

Chord-Melody Phrases for Guitar　*Ron Eschete* 著・演奏

Ron Eschete のすばらしいジャズ・フレーズでコード／メロディ・テクニックを広げよう！

39のデモ・トラックを収録したCD・コード・サブスティテューション（代理コード）・クロマティック・ムーブメント・コントラリー・モーション（反進行）・ペダル・トーン・インナー・ヴォイス・ムーヴメント（内声の動き）・リハーモニゼイション・テクニック・一般的な記譜とタブ譜

定価［本体2,200円＋税］

インターヴァリック・デザイン・フォー・ジャズ・ギター《模範演奏CD付》

Intervallic Designs for Jazz Guitar　*Joe Diorio* 著・演奏

ジャズ・グレイト Joe Diorio によるインプロヴィゼイションのための超モダンなサウンド

トーナリティを使用したデザイン・ダイアトニック・ハーモニーを使用したデザイン・ディミニッシュ・スケールを使用したデザイン・ドミナント・コードとオルタード・ドミナント・コードのためのデザイン・クロマティック・スケールを使用したデザイン・慣例的なプログレションのためのデザイン・さまざまなハーモニック・アプリケーションを使用したデザイン・完全5度音程を使用したデザイン・フリースタイル・インプロヴィゼイションのためのデザイン

定価［本体2,200円＋税］

ジャズ・ソロ・フォー・ギター《模範演奏CD付》

Jazz Solos for Guitar　*Les Wise* 著　*Les Wise* (guitar), *Craig Fisfer* (piano), *Joe Brencatto* (drums) 演奏

達人たちのソロ・コンセプトを、このユニークなCD付きの本書で研究してみよう！

フル・バンドのデモ演奏とリズムのみのトラックが収録されたCD・*Wes Montgomery*、*Johnny Smith*、*Jimmy Raney*、*Tal Farlow*、*Joe Pass*、*Herb Ellis*、*Jim Hall*、*Pat Martino*、*George Benson*、*Barney Kessel*、*Ed Bickert*のギター・スタイル・フレーズごとに演奏方法を解説・アルペジオ・サブスティテューション、テンションと解決、ジャズ・ブルース、コード・ソロイング　他・一般的な記譜とタブ譜

定価［本体3,300円＋税］

あなたのニーズと目的に合わせてチョイスできる　ギター・プライヴェート・レッスン・シリーズ

本シリーズは、*Jon Finn*、*Vic Juris*、*Steve Masakowski*、*Sid Jacobs*、*Mimi Fox*、*Ron Eschete*、*Barry Greene*、*Bruce Saunders*、*Mark Boling*、そしてジャズ・ラインの探求シリーズでおなじみ *Corey Christiansen* など、最高のプレイヤーやエデュケーターによって書かれた本とCDのセットです。

この**コンセプト徹底活用シリーズ**は、初心者から上級者までのミュージシャンが、さまざまな特定のコンセプトを消化しやすい形で伝授するということを可能にしてくれました。

定価[本体 2,500 円＋税]

豊かなハーモニーを生み出す
ジャズ・イントロ&エンディング《模範演奏 CD付》
JAZZ INTROS AND ENDINGS　　*Ron Eschete* 著・演奏

ジャズ・イントロ&エンディングは、さまざまなキーやスタイルの楽曲におけるイントロとエンディングを60例紹介しています。著者 *Ron Eschete* は *Ray Brown*、*Gene Harris, Ella Fitzgerald* をはじめとするビッグネームと共演するなど有名で、称賛されているギタリストです。ここでの豊かなハーモニーによるフレーズは、あなた自身のイントロやエンディングを生み出すうえで多くのすばらしいアイディアと理解をもたらすでしょう。譜面では5線譜に加えられたコード・ダイアグラムが学習の助けとなります。

定価[本体 2,500 円＋税]

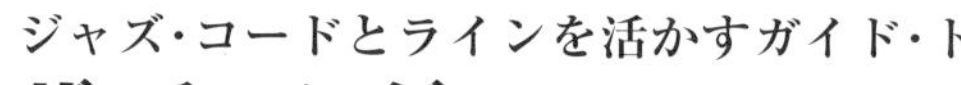
ジャズ・コードとラインを活かすガイド・トーン
ザ・チェンジ《模範演奏 CD付》
THE CHANGES: GUIDE TONES FOR JAZZ CHORDS, LINES & COMPING　　*Sid Jacobs* 著・演奏

ザ・チェンジ は、フレットボード上でガイド・トーンを視覚化(頭の中で、指の細かな動きまで、具体的に思い浮かべること)するノウハウを提供するもので、ビギナーから上級者まで利用できる効果的なアプローチです。**視覚化されたシェイプ**を元に、ソロでのラインや、コンピングやコード・メロディのためのヴォイシングを創りだすことができます。

シンプルなアプローチこそが常にベストです。ガイド・トーンはプレイを容易にするだけでなく、コード・プログレッションを心地よく耳に伝えます。またガイド・トーンを装飾することは、バロックからビバップ、さらにその先の音楽に至るまで、ミュージシャンたちがインプロヴィゼイションにおいてコード・チェンジを行う際にずっと用いてきた手法です。

定価[本体 2,500 円＋税]

センスある伴奏テクニックを学ぶ
コンピング・コンセプト《模範演奏 CD付》
CREATIVE COMPING CONCEPTS FOR JAZZ GUITAR　　*Mark Boling* 著・演奏

コンピング・コンセプト は、6つのコード・プログレッションにおけるコンピング・ヴォキャブラリーを発展させることによって、この状況を改善することを目指します。本書で使われるコード・プログレッションのモデルは、ブルース、リズム・チェンジ、マイナー・ブルース、モーダル・チューン、そしていくつかのスタンダードといった、ジャズ・イディオムにおいてもっともよく使われるものです。焦点は、リズム、フレージング、コード・ヴォイシング、ヴォイス・リーディング、コード・サブスティテューション、そしてリハーモナイゼーションに対するコンテンポラリーなアプローチを発展させることにあてています。本書で紹介するコンピング・コンセプト、リズム、そしてフレーズは、たくさんのさまざまな音楽的状況において適用されます。一度ヴォキャブラリーを習得すれば、**適切な時に、それらが自然に自分の中から出てくるようになる**でしょう。

定価 [本体 2,500 円＋税]

一歩進んだインプロヴァイジング・コンセプト
ジャズ・ペンタトニック《模範演奏 CD付》
JAZZ PENTATONICS / ADVANCED IMPROVISING CONCEPTS FOR GUITAR　　*Bruce Saunders* 著・演奏

本書**ジャズ・ペンタトニック**では、典型的なギター学習者特有の要求に対応しながら、より活発なハーモニーの動きにおけるペンタトニック・スケールとその使用方法にアプローチすることを試みます。したがって、まずいくつかの基本的なインフォメーションを紹介してから、さまざまなハーモニーの状況における特定のペンタトニック・スケールの使い方を提示します。静止したハーモニー上のペンタトニック・スケールの使い方についても簡単に探求しますが、ギターをピアノ、サクソフォン、またはトランペットと同じ土俵に上げ、**ペンタトニック・スケールとコード・チェンジの関係を研究することが、本書の中心的なテーマ**です。

定価[本体 2,500 円＋税]

一歩進んだインプロヴィゼイションのためのアイディア
上級ジャズ・ギター・インプロヴィゼイション《模範演奏 CD付》
ADVANCED JAZZ GUITAR IMPROVISATION　　*Barry Greene* 著・演奏

本書は中級から上級者のジャズ・ギタリストに向けて書かれています。コード・スケールとジャズ理論に関する、相応の知識をもっていることを前提としています。テーマとして、モード的な演奏、コード・サブスティテューション、ディミニッシュおよびメロディック・マイナー・スケール、そしてペンタトニックを取り上げます。

PRIVATE LESSONS

ブルース/ロック・インプロヴィゼイション《模範演奏CD付》

BLUES/ROCK IMPROV　*Jon Finn* 著・演奏

定価［本体2,500円＋税］

本書ブルース/ロック・インプロヴィゼイションでは、ブルース/ロックのソロ演奏に関する基本を紹介します。具体的には、基本的なリズム・ギター・パート、基本的なブルース・プログレッション、ターンアラウンド、ソロ・エクササイズ、そしてソロの演奏例を学びます。付属CDに収録されている曲は、重要な技術と考えられるものを強調するように工夫されています。

すばらしいブルース/ロックのソロは、２つか３つの簡単なコード上で演奏される、いくつかのシンプルなペンタトニック・ロック・リックにすぎません。多くのギタリストたちが、**あまりにも単純**なので、**時間をかけて練習する必要はない**という大きな誤解をしてしまいます。より注意深く聴いてみると、多くのブルース/ロックのソロには、共通する傾向があります。技術的には簡単に演奏できるが、課題は、自分自身のアイディアをもち、スタイルの傾向に従って、それを正確に実践し、そしてリスナーが注目するに値する情熱を込めることです。**簡素と簡単は同じではない**のです。

ロック/フュージョン・インプロヴァイジング《模範演奏CD付》

ROCK/FUSION IMPROVISING　*Carl Filipiak* 著・演奏

定価［本体2,500円＋税］

本書では、フュージョン特有の多くのコンセプトを取り上げ、解説します。これらのアイディアを自分の演奏に取り入れれば、プレイ・アロングCDに収録されている曲のみならず、その他のフュージョンやジャズの曲を演奏する上でも役に立つでしょう。

本書は、*Miles Davis*、*Mahavishunu Orchestrs*、*Weather Report*、*Tribal Teck*、*Mike Stern*、*Jeff Beck*など、ロックの要素を取り入れたスタイルを中心に書かれています。ロックやブルースの基礎に慣れていれば、ほとんどの譜例に適応できるはずです。ジャズに精通した人であれば、なおさら簡単に理解することができるでしょう。

ギターのための一歩進んだジャズ・ハーモニー

コルトレーン・チェンジ《模範演奏CD付》

COLTRANE CHANGES / APPLICATIONS OF ADVANCED JAZZ HARMONY FOR GUITAR　*Corey Christiansen* 著・演奏

定価［本体2,500円＋税］

偉大なジャズ・インプロヴァイザー、ジョン・コルトレーンは1960年に発表したアルバムGiant Stepsによって、その後のリハーモニゼイションの世界に大きな影響を与えました。本書では、難解とされるコルトレーン・チェンジ（コルトレーンのリハーモニゼイション）を基礎から分析、解説し、スタンダードやブルースのコンピングやソロに応用する方法を学びます。現在では、このコルトレーン・チェンジもジャズ・インプロヴィゼイションの基本的な手法になっています。これを機に、この難題にチャレンジしてみましょう。

ギターのための高度なブルース・リハーモナイゼイションとメロディック・アイディア

モダン・ブルース《模範演奏CD付》

MODERN BLUES / ADVANCED BLUES REHARMONIZATIONS & MELODIC IDEAS FOR GUITAR　*Bruce Saunders* 著・演奏

定価［本体2,500円＋税］

本書は、ブルース演奏におけるメロディックおよびハーモニックなヴォキャブラリーを発展させたい中級から上級のプレイヤーに最適です。ここではジャズで演奏されること多い、リハーモナイズされた12小節のブルースを取り上げ、チャーリー・パーカー、ジョン・コルトレーン、ジョー・ヘンダーソンなど、偉大なプレイヤーの手法を分析しています。付属のCDには模範演奏だけでなく、ドラム、アコースティック・ベース、ギターによる生演奏が収録。リズム・セクションと一緒に練習することができます。

ギターのための一歩進んだハーモニー

モダン・コード《模範演奏CD付》

MODERN CHORDS / ADVANCED HARMONY FOR GUITAR　*Vic Juris* 著・演奏

定価［本体2,500円＋税］

練習、応用、作曲は、実用的なコード・ヴォキャブラリーを発展させるための鍵となる３つの要素です。そして、それこそが、本書のテーマです。新しいコードを発見することは、この上ない喜びです。しかし、そのコードをヴォキャブラリーに加えることは、また別の話です。新しい単語を学んだら、それを毎日の会話で使わなければ、すぐに忘れてしまうでしょう。すなわち、それが練習であり、応用です。さらに、その新しい単語を使って記事やEメールを書くとしましょう。それが、ここで意味する作曲なのです。

主な内容

ハーモニック・シラバス、トライアド、トライアドの応用、ヴォイス・リーディング、スプレッド・トライアド、ヴォイシングの観察、スプレッド・トライアドを使用した作曲、複合トライアド、複合トライアドを使用した作曲、ビッグ・ファイブ、基本的な7thコード、インターヴァリック・ストラクチュアとモーダル・コード

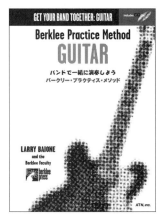

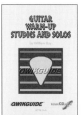

タブ譜付 アコースティック／クラシック・ギター

アメリカン・フォーク・ソング 《模範演奏 CD 付》

Steven Zdenek Eckels 著・演奏

定価［本体 3,000 円＋税］

アメリカ開拓時代に演奏され、今も長く愛される伝統的なアメリカン・フォークソングの中から 14 曲を厳選し、アコースティック・ギター用にアレンジした曲集です。もちろん、ナイロン弦を使用したクラシック・ギターでも演奏できます。

初級～中級者に適した演奏レベルで、５線譜による一般的なアコースティック／クラシック・ギター用の記譜と TAB 譜が併記されていますが、上級者も十分楽しめます。

付属 CD の模範演奏は、バークリー音楽大学の講師であり、ミュージシャンとしても活躍するギタリスト、*Steven Zdenek Eckels*。質の高い模範演奏 CD とともに、メロディも美しく、また歴史的にも重要な、開拓時代のアメリカの伝統的なフォークソングの数々を弾いてみましょう。

掲載曲

ゲット・アロング・リトル・ドギーズ • テキサスの黄色いバラ • 峠の我が家 • カウボーイ・メドレー • ドネイ・ギャル • ヒルズ・オヴ・メキシコ • コロラド・トレイル • 赤い河の谷間 • リトル・ジョー・ザ・ラングラー • レイルロード・コラール • ストリート・ラレド • ナイト・ハーディング・ソング • トレイル・トゥ・メキシコ • オールド・ペイント・メドレー

タブ譜付 アコースティック／クラシック・ギター

アメリカン・ラヴ・ソング 《模範演奏 CD 付》

Steven Zdenek Eckels 著・演奏

定価［本体 3,000 円＋税］

アメリカで長く愛され、歌い続けられているラヴ・ソング、バラードの中から 10 曲を厳選し、アコースティック・ギター用にアレンジした曲集です。もちろん、ナイロン弦を使用したクラシック・ギターでも演奏できます。初級～中級者に適した演奏レベルで、５線譜による一般的なアコースティック／クラシック・ギター用の記譜と TAB 譜が併記されていますが、上級者も十分楽しめます。

掲載曲

シンディ／スウィート・ライザ・ジェーン • いとしきネリー・グレイ • 谷をくだりゆけば • フェア・アンド・テンダー・レディ • 金髪のジェニー • ジョニーは戦場に行った • 西部の百合 • ペーパー・オヴ・ピン • 赤い河の谷間 • シェイディ・グローヴ

タブ譜付 アコースティック／クラシック・ギター

フォスター名曲集 《模範演奏 CD 付》

Steven Zdenek Eckels 著・演奏

定価［本体 3,000 円＋税］

本書は、アメリカン・フォーク・ソングの父といわれたフォスターの曲の中から 14 曲を厳選し、アコースティック・ギター用にアレンジした曲集です。もちろん、ナイロン弦を使用したクラシック・ギターでも演奏できます。 初級～中級者に適した演奏レベルで、５線譜による一般的なアコースティック／クラシック・ギター用の記譜と TAB 譜が併記されていますが、上級者も十分楽しめます。

質の高い模範演奏 CD とともに、フォスターが遺した名曲の数々を弾いてみましょう。

掲載曲

カイロへ行って • きびしい時代はもうやってこない • おお、スザンナ • 草競馬 • 柳の下で彼女は眠る～おお友よ私を連れて行って • 友よ私のために杯を満たさないで • ネリー・ブライ • 故郷の人々／スワニー河 • オールド・ブラック・ジョー • 恋人よ窓を開け • ドルシー・ジョーンズ • バンジョーをかき鳴らせ • 夢みる佳人 • 懐かしいケンタッキーの我が家

ATN, inc.

フレットボード・ロードマップ
ブルーグラス＆フォーク・ギターを弾こう

FRETBOARD ROADMAPS
BLUEGRASS AND FOLK GUITAR

発行日　2001年12月20日（初版）
2010年 8月10日（第1版2刷）
著者　Fred Sokolow
翻訳　石川 政実
監修　石井 貴之
発行・発売　株式会社 エー・ティー・エヌ
© 2001 by ATN,inc.
住所　〒161-0033
東京都新宿区下落合 3-12-21 目白エミネンス 102
TEL 03-6908-3692 / FAX 03-6908-3694
ホーム・ページ　http://www.atn-inc.jp

3917

ISBN978-4-7549-3917-5